CHRISTIAN JANSEN

Netzwerke und virtuelle Salons

D1670446

Lectiones Inaugurales

Band 18

Netzwerke und
virtuelle Salons

Bedeutung und Erschließung
politischer Briefe des 19. Jahrhunderts
im digitalen Zeitalter

Von

Christian Jansen

unter Mitarbeit von Robin Simonow

Duncker & Humblot · Berlin

Bibliografische Information der Deutschen Nationalbibliothek

Die Deutsche Nationalbibliothek verzeichnet diese Publikation in
der Deutschen Nationalbibliografie; detaillierte bibliografische Daten
sind im Internet über http://dnb.d-nb.de abrufbar.

© 2018 Duncker &Humblot GmbH, Berlin
Fremddatenübernahme: L101 Mediengestaltung, Fürstenwalde
Druck: Meta Systems Publishing & Printservices GmbH, Wustermark
Printed in Germany

ISSN 2194-3257

ISBN 978-3-428-15145-5 (Print)
ISBN 978-3-428-55145-3 (E-Book)
ISBN 978-3-428-85145-4 (Print & E-Book)

Gedruckt auf alterungsbeständigem (säurefreiem) Papier
entsprechend ISO 9706 ⊗

Internet: http://www.duncker-humblot.de

Vorwort

Benjamin Koerfer, Susanne Bauer, Anke Silomon und viele Andere haben mit kritischen Kommentaren und Verbesserungsvorschlägen den Text bereichert. Dafür möchte ich mich bedanken. Dieses Buch basiert auf meiner Antrittsvorlesung als Inhaber des Lehrstuhls für Neuere und Neueste Geschichte an der Universität Trier am 24. April 2015 sowie in manchen Passagen auf einer früheren Publikation: Christian Jansen: Briefe und Briefnetzwerke des 19. Jahrhunderts, in: Christina Antenhofer/Mario Müller (Hg.): Briefe in politischer Kommunikation, Göttingen 2008, S. 180–204. Zusammen mit Robin Simonow habe ich die Antrittsvorlesung wesentlich erweitert und mit Bezügen zur Netzwerkforschung weiterentwickelt.

Christian Jansen

„Am Abend des 26ten überraschte, demüthigte und erhob mich Ihr buchstäblich – wundervoller Brief.[1] Den folgenden Morgen ging eine Abschrift nach Freienwalde in der Mark Brandenburg ab; sie ist heute in den Händen meines Vaters, meiner Mutter, meiner Schwester. Ich möchte laut jubeln, wenn ich daran denke."

> Ludwig Karl Aegidi an Robert v. Mohl,
> Göttingen, 29. Mai 1853

„Ich muß jetzt zum Dampfer, um einem nach Deutschland reisenden Freunde diesen Brief mitzugeben, der ihn in London auf die Post geben wird, da die Post hier schon geschlossen ist."

> Friedrich Wilhelm Löwe an Lothar Bucher,
> New York, 15. März 1856[2]

Mehr als diese beiden Zitate es veranschaulichen können, waren Briefe zentral für die Kommunikation in der Zeit vor der Erfindung des Telefons und sind deshalb eine faszinierende

---

[1] Was an diesem nicht auffindbaren Brief so „wundervoll" war, lässt sich nur aus Aegidis Antwort vermuten. Entweder hatte v. Mohl Aegidi die Mitarbeit an dem von Johann Caspar Bluntschli und Karl Brater herausgegebenen „Deutschen Staats-Wörterbuch" vermittelt oder ihm seine Rezension von Aegidis Habilitationsschrift (Der Fürsten-Rath nach dem Lüneviller Frieden. Berlin 1853) zugesandt, die er als „meisterhaft" lobte (in: Geschichte und Literatur der Staatswissenschaften 2 [1853], S. 262).

[2] *Christian Jansen*: Nach der Revolution 1848/49: Verfolgung – Realpolitik – Nationsbildung. Politische Briefe deutscher Liberaler und Demokraten aus den Jahren 1849–1861, Düsseldorf 2004, S. 320 bzw. 379. Ähnl. auch Friedrich Wilhelm Löwe an Carl Mayer, 25.4.1856, ebd., S. 389–393.

Quelle für die Erforschung der Geschichte der Moderne. Im Jahr 1870 wurden 334 Millionen Briefe in Deutschland versendet, 1895 waren es bereits über zwei Milliarden[3], also gut eine halbe Million pro Tag – und anders als heute, wo die meisten Briefe Werbung enthalten oder von Behörden kommen, war der Anteil der Privatbriefe sehr hoch. Bei den Menschen, die regelmäßig Briefe schrieben, waren fünf bis zehn Briefe täglich keine Seltenheit, viele schrieben auch deutlich mehr – fast so wie wir heute eMails. Nur ein Bruchteil dieser Briefe ist überliefert; die meisten gingen verloren oder wurden von den Empfängern oder deren Nachkommen bewusst vernichtet. Auch in den überlieferten Briefen findet sich oftmals die Aufforderung, ihn nach dem Lesen zu vernichten.[4] Personen, deren Korrespondenz wegen ihrer exponierten Stellung großenteils erhalten ist, veranschaulichen das Ausmaß der Briefkommunikation im 19. Jahrhundert: von der preu-

---

[3] *Rainer Baasner*: Briefkultur im 19. Jahrhundert. Kommunikation, Konvention, Postpraxis, in: ders. (Hg.): Briefkultur im 19. Jahrhundert, Tübingen 1999, S. 1–36; hier S. 11.

[4] Z. B. *Jansen*: Nach der Revolution (s. Fn. 2), S. 567: Fanny Lewald an Moritz Hartmann, Helgoland, 5./6. August 1859: „*[Quer auf dem Rand:] Verbrennen* Sie diesen Brief, ich *rechne* darauf."

Der teilweise sorglose Umgang mit Briefnachlässen politischer Persönlichkeiten des 19. Jahrhunderts geht aus biografischen Mitteilungen im Anhang zu *Paul Wentzcke* (Hg.): Im Neuen Reich 1871–1890. Politische Briefe aus dem Nachlaß liberaler Parteiführer (Bonn 1926), Reprint Osnabrück 1970, S. 457–492, hervor.

ßischen Königin und ersten deutschen Kaiserin Augusta (1811–1890) liegen ca. 15.000 Briefe in Archiven, obwohl auch von ihr viele Briefe verbrannt wurden oder aus anderen Gründen nicht überliefert sind. Wenn Augusta von ihrem Mann, dem Kronprinzen, seit 1861 preußischem König und 1871 deutschem Kaiser Wilhelm, getrennt war, was häufig vorkam, schrieb sie allein an ihn täglich mindestens einen Brief.[5] Aber auch von manchen führenden Intellektuellen sind weit über 10.000 Briefe überliefert – etwa von Johann Wolfgang Goethe (mehr als 15.000) oder Johann Caspar Lavater (mehr als 20.000 allein in der Zentralbibliothek Zürich). Selbst von einem weniger im Mittelpunkt öffentlichen Interesses stehen-

---

[5] Bis auf wenige Editionen (die wichtigsten: *Paul Bailleu/Georg Schuster* [Hg.]: Aus dem Literarischen Nachlass der Kaiserin Augusta. Mit Porträts und geschichtlichen Einleitungen, 2 Bde., Berlin 1912; *Wolfgang Steglich* [Hg.]: Quellen zur Geschichte des Weimarer und Berliner Hofes in der Krisen- und Kriegszeit 1865/67, 2 Bde., Frankfurt/M. 1996) ist der Briefwechsel Augustas bisher von der Forschung kaum benutzt worden. Caroline Galm (Universität Freiburg) arbeitet an einer wissenschaftlichen Biografie Augustas auf der Basis ihres Briefwechsels mit ihrem Mann, die 2018 abgeschlossen werden soll. Seit September 2017 führe ich an meinem Lehrstuhl in Zusammenarbeit mit Susanne Bauer das auf drei Jahre angelegte DFG-Projekt „Die Briefkommunikation der Kaiserin Augusta. Rollenerwartung, Selbstverständnis, Handlungsspielräume" durch. Unser Ziel ist es, die Metadaten aller noch erhaltenen Briefe Kaiserin Augustas zu erfassen sowie Briefe ausgewählter Stichjahre auch inhaltlich zu untersuchen.

den Schriftsteller wie Ferdinand Freiligrath sind mehr als 5.000 Briefe nachweisbar.[6]

Heute scheint der Privatbrief vom Aussterben bedroht (in Dänemark werden ab 2018 nur noch einmal wöchentlich Briefe zugestellt, Pakete – im Zeitalter des Internetshoppings und Versandhandels – hingegen täglich[7]). Viele aus der jüngeren Generation wissen nicht mehr, wo auf einem Brief die Adresse stehen muss, weil sie nie Briefe schreiben und erhalten. Vor diesem Hintergrund soll dieses Buch auf die Bedeutung von Briefen als historische Quelle hinweisen und zugleich reflektieren, welche Möglichkeiten der Erschließung und Edition von Briefen das digitale Zeitalter bietet.

Die Beschäftigung mit Briefen als historische Quelle hat seit einigen Jahren wieder Konjunktur. Mit der Renaissance der Biografie in der wissenschaftlichen Geschichtsschreibung stieg auch die Wertschätzung für den Brief als am weitesten verbreitetes und am häufigsten überliefertes Ego-Dokument. So versprechen Briefe Antworten auf Fragen, die in jüngster Zeit von historischen Teilfächern wie der Kulturgeschichte, der Geschlechtergeschichte, der Wissenschaftsgeschichte oder von Forschungstrends wie der Geschichte der Gefühle,

---

6 *Johann Wolfgang Goethe:* Briefe. Historisch-kritische Ausgabe. Hg. im Auftrag der Klassik Stiftung Weimar von Georg Kurscheidt u. a., Berlin seit 2008 (36 Bde. geplant). In der Weimarer Goethe-Ausgabe füllen rund 15.000 edierte Briefe 50 der 133 Bände. http://www.lavater.uzh.ch/de/geschichte.html; http://www.ferdinandfreiligrath.de/pgs/100/100.php.

7 Vgl. http://www.taz.de/!5393426/.

der Wissensgeschichte oder der transnationalen Ideengeschichte aufgeworfen wurden. 2019 soll ein mehrbändiges „Handbuch Brief"[8] erscheinen, das alle Gattungen von Briefen in der Geschichte behandelt und das Forschungsfeld methodisch und theoretisch systematisch erschließen soll. An verschiedenen Orten laufen derzeit Editions- und Forschungsprojekte zu Briefen und Briefnetzwerken des 19. Jahrhunderts.[9] Diese Projekte zeigen, dass die klassische, lineare, gedruckte Edition von Briefen in einer fundamentalen Krise steckt, wenn nicht weithin als überholt angesehen wird. Die meist chronologische (lineare) Anordnung von Briefen in einem oder mehreren Bänden wird der Komplexität eines Briefwechsels, zumal eines polyzentrischen Briefnetzwerks, nicht gerecht. Während die Digitalisierung von Briefbeständen heute schon Standard

---

[8] *Handbuch Brief*, 2 Bde. Hg. v. Jochen Strobel u. a. Berlin 2019. Der Verlag schreibt: „Das Handbuch stellt das gegenwärtige Wissen zur Textsorte ‚Brief' zur Verfügung und macht in seiner Vielzahl von Beiträgen aus allen kulturwissenschaftlichen Disziplinen die Dimension der von der Antike bis zur Gegenwart wirksamen Briefkulturen erstmals greifbar."

[9] Vgl. etwa neben den in Fn. 6 und 11 genannten: *Lars Hendrik Riemer*: Das Netzwerk der „Gefängnisfreunde" (1830–1872): Karl Josef Anton Mittermaiers Briefwechsel mit europäischen Strafvollzugsexperten, 2 Halbbände, Frankfurt/M. 2005; *Neill Busse*: Der Meister und seine Schüler. Das Netzwerk Justus Liebigs und seiner Studenten, Hildesheim 2015; https://www.geschichte.hu-berlin.de/de/bereiche-und-lehrstuehle/alte-geschichte/forschung/droysen-archiv/2-briefverzeichnis (ca. 2.500 Briefe). Für weitere Beispiele vgl. http://www.fud.uni-trier.de/de/software/anwendungen/editionen/.

(„Open Access") ist, den die Geldgeber bei Briefeditionen verlangen, so sind in den letzten Jahren
auch immer mehr Tools zur Erschließung von (di-
gitalisierten) Briefen mit den Methoden der Digital
Humanities entwickelt worden. Auch Editionen,
die als (lineare) gedruckte Ausgabe begonnen wurden, werden in dieser Form nicht weiter finanziert.
Prominentestes Beispiel ist die Marx-Engels-Gesamtausgabe, von deren dritter Abteilung, die die
Briefe von und an Karl Marx und Friedrich Engels
enthält, bereits 13 Bände erschienen sind. 2016
legten die Geldgeber nach einer Evaluierung fest,
dass alle noch fehlenden 21 Bände nur noch digital
veröffentlicht werden können.[10] Damit verabschie-
dete sich ein weiteres ambitioniertes Editionsprojekt von der analogen (gedruckten) Publikations-
form. Andere, später gestartete Großvorhaben im
Bereich historisch-kritischer Briefeditionen haben
ganz auf eine gedruckte Publikation verzichtet – in
der Germanistik etwa die Historisch-Kritische
Gottfried Keller-Ausgabe oder in der Geschichte
das Projekt „Gentz digital". Oder sie haben zusätz-
liche digitale Formate entwickelt – etwa das Goe-
the-Briefrepertorium oder das Repertorium sämtli-
cher Briefe Ferdinand Freiligraths.[11] Neben solchen
personen- oder netzwerkbezogenen Editionen oder
Repertorien sind in den letzten Jahren auch ambi-
tionierte und für die Brieffforschung sehr nützliche

---

10 Vgl. http://mega.bbaw.de/struktur/abteilung_iii.

11 Vgl. https://www.gottfriedkeller.ch/briefe/; http://
gentz-digital.ub.uni-koeln.de; http://ora-web.swkk.de/
swk-db/goerep/index.html; http://www.ferdinandfreilig
rath.de/pgs/100/100.php.

übergreifende Hilfsmittel entstanden. Hierzu gehören vor allem der Kalliope-Verbund, der Nachlässe, Autographen (Handschriften, also auch Briefe) und Verlagsarchive in Deutschland nachweist, der von der Berlin-Brandenburgischen Akademie der Wissenschaften unterstützte „Webservice" Corresp-Search – eine Metadatenbank, mit der sich vorhandene Editionen und Repositorien nach Briefschreibern, -empfängern, -datum und -schreibort durchsuchen lassen – sowie auf international/ angelsächsischer Ebene die Suchmaschine „Mapping the republic of letters" der Stanford-University.[12]

Das Wort „Brief" hat sich etymologisch entwickelt aus dem lateinischen *brevis* (kurz), so dass der begrenzte Platz, der für einen Brief zur Verfügung steht, ihn sowohl sachlich als auch begrifflich bestimmt. Briefe gab es seit den frühen Hochkulturen – aus Mesopotamien sind mehr als 4.000 Jahre alte Briefe überliefert.[13] Aber die Voraussetzungen für eine „Briefkultur" im engeren Sinne, in der größere Gruppen in der Gesellschaft ohne den Rückgriff auf staatliche Ressourcen „privat" und autonom per Brief kommunizieren, konnten erst im Rahmen der europäischen Staatsbildung in der Frühen Neuzeit entstehen. Zu den Voraussetzungen einer solchen gesellschaftlichen Brief-

---

[12] Vgl. http://kalliope.staatsbibliothek-berlin.de/de/index.html, http://correspsearch.net/index.xql?l=de, http://republicofletters.stanford.edu/.

[13] Vgl. *Manfred Schreiter*: Die Anfänge der Briefkultur im Alten Orient, in: Christina Antenhofer/Mario Müller (Hg.): Briefe in politischer Kommunikation, Göttingen 2008, S. 53–65.

kultur gehören insbesondere regelmäßiger Postverkehr, die Verbreitung der Lese- und Schreibfähigkeit in signifikanten Teilen der Gesellschaft, insbesondere in den kulturellen Eliten. Dies war erst in den absolutistischen Staaten des 18. Jahrhunderts gegeben, die Verkehrs- und Bildungsinfrastrukturen förderten, normierten und zum Teil bereits in staatliche Regie übernahmen. Somit entstanden Briefkultur und Briefnetzwerke parallel zur (bürgerlichen) politischen Öffentlichkeit „der zum Publikum versammelten Privatleute"[14] und zur geistig-politischen Bewegung der Aufklärung. Auf diesen Kontext spielt auch der Titel dieses Buchs an. Im späten 18. Jahrhundert begann eine Blütezeit sowohl der Briefnetzwerke als auch der literarisch-politischen Salons, und hinter beiden Formen der gebildeten Kommunikation standen ähnliche Ideale und Ziele. Für beide war eine erweiterte Vorstellung von Publikum, Diskursraum und Teilhabe konstitutiv.

Mit der Aufklärung entstand in Salons und Briefnetzwerken eine bildungsbürgerliche Diskussionskultur und emanzipierte sich von der akademisch-exklusiven Gelehrsamkeit, deren Form und Inhalte sie kritisierte und nicht mehr für zeitgemäß hielt. Salons und Briefnetzwerke waren Frauen und Juden, aber auch radikalem (antiklerikalem, revolutionärem) Gedankengut gegenüber offener

---

[14] *Jürgen Habermas*: Strukturwandel der Öffentlichkeit. Untersuchungen zu einer Kategorie der bürgerlichen Gesellschaft (1962), Neuaufl. Frankfurt/M. 1990, S. 84.

als die traditionellen Zirkel und gelehrten Diskussionen. Die neuen literarisch-politischen Netzwerke waren Teil der entstehenden bürgerlichen Öffentlichkeit und wandten sich insbesondere gegen die Vorstellung von Arkanpolitik, die in den geheimen Kabinetten der Fürsten verhandelt wurde. Beide bezogen breitere Kreise der Gesellschaft ein und waren mit ihren weitgehend bildungsbezogenen Zugangs- und Qualitätskriterien tendenziell für alle, die sich hinreichend gebildet hatten, offen und lagen damit quer zu den ständischen, auf Geburt und Heirat basierenden Zugangsschranken der feudalistisch-aristokratischen Gesellschaft. Aus diesem egalitär-emphatischen Grundzug der realen wie der virtuellen Salons ergab sich in der Briefkommunikation eine positive und tendenziell harmonistische Grundhaltung zum Korrespondenzpartner.

Eine einschneidende Veränderung der Briefkultur seit dem späten 18. Jahrhundert ergab sich aus der zunehmenden Verwendung der deutschen anstelle der lateinischen oder französischen Sprache, die bis dahin als angemessene (und internationale) Ausdrucksweisen der Gebildeten galten. Dass es nicht länger verpönt war, auf Deutsch zu schreiben, hing eng damit zusammen, dass „Natürlichkeit" zum wichtigsten ästhetischen Maßstab für gute Briefe wurde. Das bis dahin als „gemein", also als Zeichen mangelnder Bildung geltende Deutsch wurde von aufgeklärten Gelehrten, allen voran Johann Christoph Gottsched (1700–1766) gerühmt. Das ging einher mit einer positiven Bewertung des „Eigenen" und einer Abwertung des „Fremden",

die sich gleichzeitig vollzog und einen Ausgangs-
punkt der Romantik sowie (politisch) aller europäischen Nationalismen bildete. So riet Gottsched
seiner späteren Frau Luise Kulmus (1713–1762)
auf Deutsch zu schreiben, weil es „unverantwort-
lich" sei, „in einer fremden Sprache besser als in
seiner eigenen zu schreiben".[15] Sowohl für die
Vordenker einer neuen „eigenen", aufgeklärten
Briefkultur im 18. Jahrhundert als auch für ihren
Historiker Georg Steinhausen (1866–1933), dessen
zweibändiges Werk „Geschichte des deutschen
Briefs. Zur Kulturgeschichte des deutschen Volks"
(1890–91) auch heute noch anregend zu lesen ist,
verfügten gebildete Frauen über die besten Voraussetzungen, vorbildliche Briefe zu schreiben.

Die Briefkultur veränderte sich also in engem
Zusammenhang mit der Entstehung einer bürgerlichen Kultur und Gesellschaft in den deutschen
Staaten. Zu den wichtigsten Prozessen dieser For-
mierungsphase der modernen bürgerlichen Kultur
und Gesellschaft gehörte neben dem bereits an-
gesprochenen „Strukturwandel der Öffentlichkeit"
und der nationalen Neudefinition des „Eigenen"
und „Fremden", in deren Mittelpunkt die deutsche
Sprache stand, die das „deutsche Volk" und seinen
„Charakter" konstituiere[16], auch die Erfindung der

---

15 Zit. nach *Georg Steinhausen*: Geschichte des deutschen Briefes, 2 Bde. (Berlin 1898), Reprint Dublin
1968, Bd. 2, S. 248.
16 *Christian Jansen / Henning Borggräfe*: Nation –
Nationalität – Nationalismus, Frankfurt / M. 2007, insb.
S. 37–50.

polaren Geschlechtscharaktere „männlich" und „weiblich".[17] Hierbei ging es einerseits um eine Neubewertung der Arbeitsteilung zwischen den Geschlechtern, in der den Männern die Außenwelt und die wissenschaftlich-technische Sphäre, den Frauen aber der häusliche Bereich und die „natürlich"-religiöse Sphäre zugeschrieben wurde, andererseits um Unterscheidung geistig-emotionaler Charaktere: Männer sollten extrovertiert, aktiv, rational sein, Frauen hingegen introvertiert, passiv und emotional. In diesem Rollenmodell schien der Brief eine besonders Frauen gemäße Artikulationsform – im Gegensatz zu „männlichen" Artikulationsformen wie der öffentlichen Rede, Publikationen oder politischen Ämtern. „Gebildete Natürlichkeit", „Reinheit", „Authentizität" oder auch „Naivität" waren in diesem Kontext positive Eigenschaften, die nach Ansicht der wichtigsten Brieftheoretiker wie Gottsched oder Christian Fürchtegott Gellert (1715–1769) die Briefe gebildeter Frauen prägten und prägen sollten.[18]

Während die Aufklärer im Allgemeinen bürgerliche Frauen aus den Bildungsinstitutionen ausschlossen, geschah bei der Briefkommunikation das Gegenteil: „Ich habe Ihnen oft gesagt", schrieb Gellert an Johanna Erdmuth von Schönfeld, „daß

---

[17] *Karin Hausen*: Die Polarisierung der „Geschlechtscharaktere" – eine Spiegelung der Dissoziation von Erwerbs- und Familienleben, in: Werner Conze (Hg.): Sozialgeschichte der Familie in der Neuzeit Europas. Stuttgart 1976, S. 363–393.
[18] *Steinhausen* (s. Fn. 15), Bd. 2, S. 245–253.

die Frauenzimmer die beßren Briefe schreiben, als die Mannspersonen; und dieses gilt nicht allein von Frauenzimmern von Stand, die eine gute Erziehung genossen, sondern auch von andern Personen Ihres Geschlechts". Er führte als Beleg die Briefe einer „niedrigen Mutter" aus Leipzig an ihre Söhne an: „Ich finde in den Briefen dieser Mutter, bey allem Mangel der Kunst, so viel einnehmendes, daß ich zweifle, ob sie ein gelehrter Vater iemals so gut schreiben würde".[19] Im Bereich der Briefkommunikation sollten sich also die Männer an den Frauen orientieren, sollten „frey offen, naiv" und vor allem „natürlich" schreiben – im Zeitalter zunehmenden Bürgerstolzes und wachsenden Nationalismus waren diese Eigenschaften auch mit dem Bürgertum und dem „Deutschtum" konnotiert, während Künstlichkeit und Manieriertheit mit dem Adel und der von ihm kultivierten französischen Sprache assoziiert wurden. Im 18. Jahrhundert setzte sich der auf Deutsch geschriebene Brief noch nicht durch. Zunächst verlor vor allem das Lateinische als traditionelle Gelehrtensprache an Bedeutung, allmählich auch das Französische. Wer an hochgestellte Personen, insbesondere an Fürstinnen und Fürsten schrieb, musste sich gleichwohl deren Sprache, also des Französischen bedienen – auch aufgeklärte Fürsten wie König Friedrich II. von Preußen verfassten ihre gesamte Korrespondenz auf Französisch.[20]

---

[19] Ebenda, S. 264 f.
[20] Ebenda, Bd. 2, S. 269 ff. mit zahlreichen anschaulichen Beispielen.

Die Durchsetzung des Deutschen als Briefsprache ist ein Indikator für die Verbreitung eines nationalen Zusammengehörigkeitsgefühls und damit einhergehend für die Ausbreitung nationalistischen Denkens.[21] Erst seit 1815 war Deutsch als Sprache in der bürgerlichen Briefkommunikation üblich.

Die Experten streiten sich, ob das 18. oder das 19. Jahrhundert als das „Jahrhundert des Briefs"[22] bezeichnet werden soll. Obwohl nur wenige Zahlen zum Umfang der Briefkommunikation vorliegen (mehr dazu unten), war quantitativ das 19. Jahrhundert die Zeit, in der Briefe die größte Bedeutung für die private und politische Kommu-

---

[21] Zum Hintergrund und zur Begrifflichkeit vgl. *Jansen/Borggräfe* (s. Fn. 16), S. 28: „National" als das vom Substantiv „Nation" abgeleitete Adjektiv sollte nur für Phänomene verwendet werden, die sich auf die Nation als Ganze (etwa im Gegensatz zu Regionen) beziehen. Wenn es um den Nationalismus geht, sollte hingegen das Adjektiv „nationalistisch" benutzt werden. Die Selbstbezeichnungen der Nationalisten („nationales Lager", „nationale Parteien" oder „national denkend") werden zwar häufig auch in die wissenschaftliche Literatur übernommen, sind aber irreführend.

[22] Die Ansicht, dass das 18. das „Jahrhundert des Briefes" gewesen sei, geht auf den Klassiker, *Steinhausen* (s. Fn. 15), Bd. 2, S. 245 u. ö., zurück. Vgl. *Rainer Brockmeyer*: Geschichte des deutschen Briefes von Gottsched bis zum Sturm und Drang, Diss. Münster 1961, insb. S. 3. *Fritz Schlawe* (Hg.): Die Briefsammlungen des 19. Jahrhunderts. Bibliographie der Briefausgaben und Gesamtregister der Briefschreiber und Briefempfänger 1815–1915, 2 Bde., Stuttgart 1969, Bd. 1, S. XI, nennt hingegen das 19. Jahrhundert die „Blütezeit der Briefliteratur".

nikation hatten. Qualitativ ist auch die Zeit der Aufklärung bedeutend, weil bereits im 18. Jahrhundert die Normen und Maßstäbe „guter" Briefe definiert wurden und der Durchbruch des Deutschen als „natürliche" Briefsprache seit 1750 begonnen hat. Solche Überlegungen, über deren Wichtigkeit man ohnehin streiten kann, stehen aber hier nicht im Mittelpunkt.

Im Titel dieses Buchs ist ebenso wie im bisherigen Text von „politischen" Briefen die Rede. Es bleibt deshalb die schwierige Frage zu klären, was den politischen Brief von nicht- oder unpolitischen oder privaten Briefen unterscheidet, wenn man der gängigen Definition folgt, der zufolge alles, was Organisationsformen des menschlichen Zusammenlebens betrifft, die über die Familie hinaus gehen, „politisch" sei. Wenn man die Entscheidung anhand des Briefinhalts fällen will, reicht dann schon ein kurzer Halbsatz zur politischen Situation? Oder müssen Absender *und* Empfänger politische Akteure sein? Die in der Regel männlichen Politiker des 19. Jahrhunderts schrieben ihren Frauen häufig brieflich von ihren Aktivitäten, politischen Einschätzungen oder Vorhaben. Nach meinem Verständnis sind Personen, an die politische Akteure als an ihre Ratgeber, Vertrauten, Resonanzräume oder „Klagemauern" Briefe richten, ihrerseits politische Akteure. Zugleich spricht bei der Beschäftigung mit politischen Briefen aus pragmatischen Gründen vieles für eine akteursbezogene Definition: Jeder Brief eines politischen Akteurs ist ein politischer Brief. Denn auch bevor die Frauenbewegung der 1970er Jahre die Parole

„Das Private (bzw. das Persönliche) ist politisch" verbreitete, war die Trennung zwischen privat und politisch kaum möglich, so dass eine inhaltsbezogene Definition politischer Briefe weder praktikabel noch sinnvoll erscheint. Zumal das Private wie das Politische gleichermaßen Bereiche sind, in denen Emotionen eine große Rolle bei der Entscheidungsfindung spielen und insofern gerade private Briefe an Ehepartner, Freunde und Geliebte oft besonders klare politische Stellungnahmen enthalten.[23] Es bleibt also nur die pragmatische Definition: Ein politischer Brief zeichnet sich dadurch aus, dass entweder Schreiber oder Empfänger (oder beide) politische Akteure waren.[24]

---

[23] Vgl. hierzu *Ernst Opgenoorth*: Johann Gustav Droysen und seine Briefpartner. Eine kommunikationsgeschichtliche Studie, in: Jahrbuch zur Liberalismus-Forschung 27 (2015), S. 149–182, hier insb. S. 172–179.

[24] In der Forschung finden sich wenige Reflexionen und Definitionen über „politische" Briefe. Eine der Ausnahmen, die aber auch keine präzise Definition bietet, stammt von *Wilhelm Mommsen* („Zur Methodik der deutschen Parteigeschichte", in: Historische Zeitschrift 147 [1933], S. 53–62, hier S. 55): „Gerade für die geheimsten und internsten Ereignisse der Parteigeschichte fehlt die schriftliche Festlegung, vor allem seitdem aus den verschiedensten Gründen der politische Privatbrief so gut wie verschwunden ist. Seine Bedeutung für die Entwicklung der Parteigeschichte früherer Generationen liegt auf der Hand. Er ist vielfach die einzige intime Quelle. Deshalb wird der Quellenwert des Privatbriefes gelegentlich auch überschätzt. Von der Persönlichkeit und ihrer Eigenart hängt es ab, ob solche Privatbriefe über die Entstehung politischer Entscheidungen etwas aussagen oder nur der Ausdruck einer Stimmung sind. Aber der Privatbrief bleibt eine primäre Quelle vor al-

Die folgenden Überlegungen gliedern sich in zwei Teile. Im ersten geht es um Spezifika des Briefs und insbesondere des politischen Briefs im 19. Jahrhundert, die Bedeutung von Briefen für die Rekonstruktion der Gesellschafts- und Kulturgeschichte des 19. Jahrhunderts, um Historische Netzwerkforschung sowie um allgemeine Überlegungen zur Edition und Quellenkritik. Der zweite Teil soll die Rahmenbedingungen der Briefkommunikation im 19. Jahrhundert veranschaulichen und stellt einige Thesen über die Bedeutung des Briefs für die Politik im 19. Jahrhundert auf, die der weiteren Forschung als Anregung dienen sollen.

I.

Im 19. Jahrhundert war ein Brief eine handschriftliche Mitteilung eines oder mehrerer Schreiber an einen oder mehrere Adressaten, die in der Regel persönlich angesprochen wurden.[25] Diese Mitteilung wurde in der Regel durch Boten über-

---

lem dann, wenn er über die Entstehung entscheidender Beschlüsse berichtet." *Opgenoorth* (s. Fn. 23), S. 172, belässt es bei einer pragmatischen Definition „privater" Briefe. In ihnen spiele „persönliches Wohlergehen einschließlich gesundheitlicher Fragen und subjektiver Empfindungen eine deutlich wichtigere Rolle […] als in der übrigen Korrespondenz".

[25] Sehr anregend zur Briefgeschichte und eine Fundgrube für Details und Episoden ist der reich bebilderte Katalog Der Brief – Ereignis und Objekt, hg. von Anne Bohnenkamp und Waltraud Wiethölter (Frankfurt/M. 2008).

bracht – im 19. Jahrhundert sowohl durch damit betraute Reisende oder von organisierten Postdiensten. Wie wichtig die Post für die damalige öffentliche Ordnung war, zeigt Art. 17 der Wiener Bundesakte von 1815, der sich ausschließlich mit der Post beschäftigte und unter anderem bestimmte: „Das fürstliche Haus Thurn und Taxis bleibt in dem durch den Reichsdeputationsschluß vom 25. Februar 1803 oder spätere Verträge bestätigten Besitz und Genuß der Posten in den verschiedenen Bundesstaaten, so lange als nicht etwa durch freie Übereinkunft anderweitige Verträge abgeschlossen werden sollten". Die in Regensburg ansässige Adelsfamilie Thurn und Taxis hatte seit dem 16. Jahrhundert den Postversand im Heiligen Römischen Reich in Konkurrenz mit regionalen Anbietern organisiert. Durch den Untergang des Reichs und die Reorganisation unter Napoleon kam dieses System zum Erliegen. Beim Wiener Kongress wurden die Rechte der Familie Thurn und Taxis restauriert. Das Gebiet, das sie zwischen 1706 und 1867 mit Post versorgten, umfasste allerdings nur noch große Teile des südwestdeutschen Raumes. In Kooperation mit den meist staatlich organisierten Posten der größeren deutschen Staaten (Preußen, Bayern, Österreich, Hannover etc.) entstand ein minutiös geplantes Netz von Postverbindungen, die die tägliche, in abgelegenen Gebieten seltenere Zustellung von Briefen und Postkarten gewährleisteten.[26]

---

[26] Vgl. als Momentaufnahme für das Jahr 1843: https://upload.wikimedia.org/wikipedia/commons/4/43/Map_Thurn-und-Taxis-Post.jpg.

Außerhalb der Städte war noch nicht jeden Tag „Posttag". „Posttag" bedeutete, dass Briefe ankamen und abgingen. In vielen Briefen des 19. Jahrhunderts findet sich entsprechend die Schlussfloskel „Ich muss schließen, damit mein Brief noch mit der heutigen Post abgeht." Das galt nicht nur in abgelegenen Gebieten innerhalb des Deutschen Bundes, sondern auch in Übersee, wo die Abfahrt der Dampfer die briefliche Kommunikation mitbestimmte.

Neben dem häufigsten Fall, dass Briefe im Nachlass des Empfängers überliefert sind, handelt es sich bei einer erheblichen Zahl der Briefe, die sich in Nachlässen von Briefschreibern finden lassen, um Entwürfe, die nie mit der Post versandt wurden, oder um Abschriften verschickter Briefe. Denn bevor die Schreibmaschine mit Durchschlagpapier sich am Ende des 19. Jahrhunderts allmählich durchsetzte, behielten Briefschreiber in der Regel die Entwürfe ihrer eigenen Briefe zur Dokumentation auf. Vor allem im amtlichen Schriftverkehr und bei einzelnen reichen Persönlichkeiten mit gut organisierter Korrespondenz wurden Abschriften der ausgehenden Post von professionellen Schreibern angefertigt. Teilweise waren auch im 19. Jahrhundert bereits Hefte mit Durchschreibpapier in Gebrauch, in die man seine Briefe schrieb. Die Originalseite ließ sich herauslösen und verschicken, während eine Durchschrift in dem Heft blieb.

Aus diesen Praxen ergeben sich Probleme für die Benutzung von Briefen als historische Quellen:

- Es ist nicht immer sicher, ob die erhaltenen Entwürfe zu tatsächlich abgeschickten Briefen gehören oder es beim Entwurf geblieben ist.

- Abschriften von professionellen Schreibern sind – im Gegensatz zu Durchschriften in Kopierbüchern – sehr leicht lesbar. Hier werden aber einleitende, standardisierte Floskeln und Grußformeln oft abgekürzt („Euer Hochwohlgeboren pp.").

- Überlieferte Briefentwürfe werden in der Regel nicht für die Nachwelt geschrieben. Sie enthalten deshalb oft Abkürzungen, sind teilweise auch in Kurzschrift verfasst (die sich im 19. Jahrhundert zur Erstellung „Stenographischer Berichte" von Parlamentsdebatten durchsetzte). All dies erschwert die Lesbarkeit erheblich.

Zudem steht ein Brief selten für sich allein. Er kann zwar als Einzelschriftstück aufgefasst werden, ist aber in der Regel Teil eines größeren Zusammenhangs. Deshalb ist es wichtig, stets den Überlieferungszusammenhang zu berücksichtigen. Liegt ein Briefwechsel vor, entfaltet sich ein schriftliches Gespräch, das häufig trotz des zeitlichen Abstands und über den Tod der Schreibenden hinaus Lebendigkeit und Authentizität vermittelt. Meist wird in einem Brief auf ein vorausgegangenes Schreiben Bezug genommen, weshalb erst der Kontext der Korrespondenz wichtige Informationen für das Verständnis des einzelnen Briefs liefert. Die Untersuchung von Korrespondenzen ermöglicht die Rekonstruktion von Briefnetzwerken. Das Hin und Her der Briefe mit zahlreichen verschiedenen Adressaten ließ regelrechte virtuelle Salons entstehen. Die Erwähnung anderer Mitglieder eines Netzwerks in Briefen, die Weitergabe von Nachrichten von diesen oder an diese, die Kommentierung ihrer Ansichten, die parallele Korrespondenz mit weiteren Personen sowie die Bezugnahme auf Briefe Dritter konstituierten oder festigten solche Netzwerke.

Fast nie finden sich in Nachlässen, egal ob sie sich in Archiven oder in Privatbesitz befinden, vollständige Korrespondenzen – also ganze Briefserien. In der Regel ist die Rekonstruktion von Korrespondenzen und erst recht von Briefnetzwerken die Arbeit der Historiker. Vollständige Korrespondenzen existieren nur, wenn etwa Witwen, Kinder, andere Familienangehörige oder auch Biografen Briefe prominenter Schreiber zurückverlangt oder gesammelt haben. Hinzu kommt, dass bis weit ins 20. Jahrhundert hinein Briefen von Frauen oder von Personen aus den Unter- und Mittelschichten die „Archivwürdigkeit" abgesprochen wurde, so dass fast ausschließlich Briefe von „großen Männern" sowie von einzelnen „großen Frauen" der Forschung zur Verfügung stehen. Alles andere sind absolute Ausnahmen und – falls sich solche Briefe heute noch finden lassen – eine Sensation.

Die überlieferten Briefe des 19. Jahrhunderts sind für Philologen und Historiker zwar einerseits seit langem eine der wichtigsten Quellen. Andererseits schrieb der Germanist und Briefforscher Jochen Strobel vor wenigen Jahren, „daß wir über die Geschichte des Briefs im 19. Jahrhundert kaum etwas wissen".[27] Es existieren zwar viele Editionen von höchst unterschiedlicher wissenschaftlicher Qualität.[28] Aber der reine Positivismus des Ausgrabens, Dokumentierens und „Vor-dem-Vergessen-Bewahrens", also der methodisch sehr unterschiedlich reflektierten Grundlagenforschung, der amateurhaften Freude am Aufspüren neuer Quellen, wird nur selten überwunden zugunsten zusammenfassender oder theoretischer Studien. Unter den Editionen überwiegen monologische, die Briefe eines „großen Mannes" zusammenstellen. Dialogische Editionen, die neben den Briefen eines bedeutenden Menschen auch die Briefe *an ihn* aufnehmen, und andere Briefausgaben, die einem politischen, wissenschaftlichen, gesellschaftlichen oder kulturellen Netzwerk gelten, sind eher selten.[29]

---

[27] *Jochen Strobel*: Prolegomena der Briefforschung. Zu dem Band „Briefkultur im 19. Jahrhundert", in: Internationales Jahrbuch der Bettina-von-Arnim-Gesellschaft 11/12 (1999/2000), S. 247–258, S. 247.

[28] Vgl. für die älteren Editionen *Schlawe* (s. Fn. 22).

[29] Neben den beiden in den folgenden Absätzen vorgestellten Ausgaben gehören in diese Kategorie etwa *Adolf Rapp* (Hg.): Briefwechsel zwischen [David Friedrich] Strauß und [Friedrich Theodor] Vischer. 2 Bde., Stuttgart 1952/1953; *Autour d'Alexandre Herzen.* Documents inédits. Publiés par Marc Vuilleumier et al. Genf 1973; *Johann Jacoby*: Briefwechsel 1816–1877. Hg. und erläutert von Edmund Silberner, 2 Bde., Hannover 1974 bzw. Bonn 1978; *Johann Gustav Droysen*: Briefwechsel, hg. von Rudolf Hübner, 2 Bde. (Stuttgart u. a. 1929), Reprint Osnabrück 1967; *Jansen*, Nach der Revolution (s. Fn. 2).

Aber selbst die wenigen gedruckten Editionen, die diesen Anforderungen in hohem Maße gerecht werden – wie etwa das ambitionierteste laufende Briefeditionsvorhaben, die Dritte Abteilung der Marx-Engels-Gesamtausgabe, zeigen, dass lineare, gedruckte Editionen im digitalen Zeitalter obsolet werden. In dieser mustergültig kommentierten und kontextualisierenden Edition erscheint die gesamte überlieferte Korrespondenz von Karl Marx und Friedrich Engels sowie alle in ihrem Auftrag geschriebenen und an sie gerichteten Briefe in chronologischer Anordnung. Wie erwähnt, werden die noch ausstehenden rund 20 Bände nur noch als elektronische Publikation erscheinen – aus finanziellen Gründen, aber auch weil heute viele Benutzer elektronische, im Volltext am Rechner durchsuchbare Editionen wünschen.[30] Neben die abnehmende Bereitschaft der Geldgeber, gedruckte Editionen zu finanzieren, tritt also ein wichtige-

---

[30] Ein anderes ambitioniertes und seinerzeit innovatives Editionsprojekt war Lars Hendrik Riemers Dissertation (s. Fn. 9), die das Briefnetzwerk Carl Joseph Anton Mittermaiers mit europäischen Strafvollzugsexperten rekonstruierte. Da es sich um ein Promotionsprojekt handelte, konnten in der verfügbaren Zeit fast nur Briefe aus dem Nachlass Mittermaiers in der Heidelberger Universitätsbibliothek berücksichtigt werden. Deshalb enthält die umfangreiche Edition kaum Briefe Mittermaiers, sondern vornehmlich die in Heidelberg liegenden Briefe *an ihn*. Außerdem präsentiert Riemers Edition trotz ihres beeindruckenden Umfangs nicht einmal 5 % des Mittermaier-Nachlasses, der mehr als 12.500 Briefe mit etwa 2.200 Partnern umfasst. Vgl. hierzu meine Rezension in: Zeitschrift für Geschichtswissenschaft 55 (2007), S. 682–684.

rer, methodischer Einwand: Ein Briefnetzwerk lässt sich linear nicht befriedigend rekonstruieren, finden doch häufig mehrere Briefkommunikationen gleichzeitig statt und überschneiden sich, so dass eine drei- oder mehrdimensionale Darstellungsweise adäquater wäre. Die Möglichkeiten des digitalen Zeitalters versprechen einen Quantensprung in der Rekonstruktion und Visualisierung von Briefnetzwerken, die erst in jüngster Zeit in Ansätzen ausprobiert wurden, so dass die folgenden Beobachtungen und Überlegungen nur einen Einstieg bieten können, der zudem auf der Kenntnis nur weniger Projekte basiert.

In jüngster Zeit wurden Programme entwickelt, die bei der Erfassung und Transkription von handschriftlichen Briefen helfen. So soll Transkribus (https://transkribus.eu/) dazu in der Lage sein, Handschriften zu erkennen, nachdem man das Programm darauf „trainiert" hat, die jeweilige Handschrift zu erkennen. Zu diesem Zweck muss man 50 Seiten bzw. 2.000 Zeilen (je mehr, desto besser) einer Handschrift als eingescannte Originalbriefe zusammen mit ihrer Transkription hochladen, damit das Programm die korrekte Transkription der Handschrift „erlernt".[31] Wenn das befriedigend funktioniert, wäre es eine Revolution für die Benutzung von Briefen und allen handschriftlichen Texten in der historischen Forschung, stellte doch die Transkription bislang immer die höchste Hürde dar, die viele davon abgehalten hat, in größerem

---

[31] Vgl. https://transkribus.eu/wikiDe/index.php/Haupt seite.

Umfang unedierte Briefe zu benutzen. Gerade für die Erforschung von personenzentrierten Briefnetzwerken, in denen viele Briefe in denselben Handschriften vorliegen, oder von Korrespondenzen zwischen Ehepartnern oder Freunden würde ein derartiges Programm eine große Erleichterung bedeuten – wenn der Aufwand, das Programm zu „trainieren", in einem akzeptablen Verhältnis zum Ertrag steht.

Zudem gibt es mehrere Initiativen, einerseits große Briefdatenbanken zu schaffen bzw. bestehende Datenbanken miteinander zu vernetzen, andererseits Programme weiterzuentwickeln, die bei der Analyse und Visualisierung von Briefnetzwerken helfen sollen.[32] Solche Netzwerkrekonstruktionen und Visualisierungen suchen einen Ausweg aus dem herkömmlichen, autorzentrierten Umgang mit Briefen und leisten damit einen Beitrag zur Überwindung des Kults der großen Einzelnen hin zu einer neuen Perspektive auf die „wirkmächtigen Kommunikationsverbände der Vergangenheit"[33], die wichtige Akteure einer demokratischen Geschichtsschreibung sein müssten. Bis heute sind sie aber in historischen Darstellungen unterbelichtet, während Angehörige der Funktionseliten oder strukturfunktionalistische Verkürzungen wie „das Bürgertum", „die Arbeiter", „die Nationalsozialisten" häufig die Hauptrollen spie-

---

[32] Vgl. Fn. 11. Weitere Softwares zur Visualisierung von Netzwerken sind etwa Gephi (gephi.org), Pajek (http://mrvar.fdv.uni-lj.si/pajek/), Visone (Visone.info) oder Vennmaker (vennmaker.com).

[33] *Riemer* (s. Fn. 9), S. 11.

len. Denn weder hat Luther die Reformation „gemacht" noch Bismarck das Deutsche Reich „gegründet" – erst eine teleologische und nationalisti-
sche Geschichtsschreibung hat sie zu „großen
Männern" überhöht und damit die komplexe
Quellenlage unzulässig vereinfacht: statt vieler
Akteure in einem komplexen Netzwerk müssen
sich historisch Interessierte nur einen merken; statt
komplizierter Strukturen und Wirkungszusammen-
hänge haben in vielen Geschichtsbüchern Einzelne
oder Kollektive mit vermeintlich gleichen Interes-
sen Geschichte „gemacht".

Aus dem Bewusstsein heraus, dass nicht einzelne, isolierte Akteure historisch wirksam sind,
sondern soziale Strukturen wie etwa die „Kommunikationsverbände der Vergangenheit", sind Netzwerke in jüngster Zeit stärker in den Fokus der
Geschichtswissenschaft gerückt. Zur Rekonstruktion und Analyse von Netzwerken bedient sie sich
aus dem Theorie- und Methodenangebot der Sozialwissenschaften, insbesondere der Sozialen Netzwerkanalyse. Sie stellt die sozialen Beziehungen
zwischen mehreren Akteuren in den Mittelpunkt,
deren Handeln von ihrer Verflechtung in Beziehungen und Strukturen beeinflusst wird und durch
diese (zumindest teilweise) erklärt werden kann.
Mit der Sozialen Netzwerkanalyse ist es möglich,
„eine konstruktive und für Historiker leicht begeh-
bare Brücke zwischen Struktur- und Handlungs-
ebene zu bauen"[34], wie neuere Forschungsarbeiten

---

[34] *Morten Reitmayer/Christian Marx*: Netzwerkan-
sätze in der Geschichtswissenschaft, in: Christian Steg-

gezeigt haben. Von „Netzwerken" ist in der jüngsten historischen Forschung sehr häufig die Rede.[35] Der Terminus ist in Mode gekommen, wird aber keineswegs einheitlich gebraucht. Die Bandbreite reicht von der Verwendung als Metapher ohne Kenntnis der Sozialen Netzwerkanalyse über die Übernahme einzelner Versatzstücke aus den theoretischen Grundannahmen bis hin zur konsequenten Anwendung formaler Analyseverfahren. Für den Mittelweg einer formalen Analyse auf Grundlage historischer Quellenkritik macht sich die Historische Netzwerkforschung stark, die sich computergestützt und mit in der Sozialen Netzwerkanalyse bewährter Software auf der Basis großer Datenbanken mit komplexen sozialen Netzwerken beschäftigt.[36] Angesichts der kaum über-

---

bauer/Roger Häußling (Hg.), Handbuch Netzwerkforschung, Wiesbaden 2010, S. 869–880, hier S. 876.

[35] Für einen Forschungsüberblick: *Christian Marx*: Forschungsüberblick zur Historischen Netzwerkforschung. Zwischen Analysekategorie und Metapher, in: Marten Düring u.a. (Hg.): Handbuch Historische Netzwerkforschung. Grundlagen und Anwendungen, Berlin 2016, S. 63–84; *Marten Düring/Ulrich Eumann*: Diskussionsforum Historische Netzwerkforschung. Ein neuer Ansatz in den Geschichtswissenschaften, in: Geschichte und Gesellschaft 39 (2013), S. 369–390, hier S. 372–377; *Marten Düring/Linda von Keyserlingk*: Netzwerkanalyse in den Geschichtswissenschaften. Historische Netzwerkanalyse als Methode für die Erforschung von historischen Prozessen, in: Rainer Schützeichel/Stefan Jordan (Hg.), Prozesse. Formen, Dynamiken, Erklärungen, Wiesbaden 2015, S. 337–350, hier S. 343–347.

[36] Vgl. hierzu *Düring*, Handbuch (s. Fn. 35).

schaubaren Menge an überlieferten Briefen aus dem 19. Jahrhundert kann auch die historische Briefforschung von einer solchen systematischen Vorgehensweise profitieren.[37]

Die Soziale Netzwerkanalyse ist begrifflich stark von der visuellen Vorstellung oder grafischen Darstellung eines Netzwerks bestimmt, in der Punkte in einer Ebene (oder im Raum) die individuellen oder kollektiven Akteure symbolisieren und Verbindungslinien, die „Kanten" genannt werden, ihre Beziehungen untereinander markieren. Im konkreten Fall eines Briefnetzwerks bedeutet jeder Brief einen Pfeil, der die Richtung der Kommunikation angibt und nach der Zahl der überlieferten Briefe in unterschiedlicher Breite dargestellt wird. Grundsätzlich lässt sich alles, was aus Knoten (Akteuren) und Kanten (Beziehungen) besteht, als Netzwerk begreifen. Hierbei können sowohl Knoten und Kanten als auch die Netzwerkstruktur insgesamt auf ihre Eigenschaften hin analysiert werden. Ein Briefnetzwerk bilden alle, die miteinander über das Medium Brief kommunizieren. Im Wesentlichen ist zwischen

---

[37] Vgl. *Regina Dauser*: Informationskultur und Beziehungswissen. Das Korrespondenznetz Hans Fuggers, 1531–1598, Tübingen 2008; *Busse* (s. Fn. 9); *Martin Stuber* u. a.: Exploration von Netzwerken durch Visualisierung. Die Korrespondenznetzwerke von Banks, Haller, Heister, Linné, Rousseau, Trew und der Oekonomischen Gesellschaft Bern, in: Regina Dauser [u. a.] (Hg.), Wissen im Netz. Botanik und Pflanzentransfer in europäischen Korrespondenznetzen des 18. Jahrhunderts, Berlin 2008, S. 347–374.

zwei Netzwerktypen zu unterscheiden: dem Ego-Netzwerk und dem Gesamtnetzwerk. Das Ego-Netzwerk konzentriert sich auf die Beziehungen einer Fokusperson zu anderen Personen und idealerweise deren Beziehungen untereinander. Es bietet daher zwar nur einen „minimalen netzwerkanalytischen Zugang zur Realität", stellt aber oftmals das arbeitsökonomischere und forschungspragmatischere Werkzeug dar.[38]

Das Gesamtnetzwerk versucht alle für eine Fragestellung relevanten Akteure und Beziehungen zu erfassen. Da sich politische Briefnetzwerke des 19. Jahrhunderts kaum vollständig rekonstruieren lassen, gilt es zunächst, das zu untersuchende Briefnetzwerk sinnvoll abzugrenzen: Über welchen Zeitraum sollen Briefe aufgenommen werden, wer gehört zum Untersuchungsgegenstand und wer nicht? Zum Beispiel lassen sich die Mitglieder eines politischen Vereins oder die Funktionäre politischer Organisationen als Gesamtnetzwerk bestimmen. Damit stehen die Strukturen dieser Netzwerke oder einzelne Merkmale im Mittelpunkt: Wo sind Überschneidungen zwischen mehreren untersuchten Organisationen auszumachen? Existierten Untergruppen (im Jargon der Sozialen Netzwerkanalyse: „Cluster") im Gesamtnetzwerk? Wenn ja, wie viele? Wer gehört dazu? Welche Akteure verfügen über zentrale Positionen und verbinden verschiedene Gruppen

---

[38] *Dorothea Jansen*: Einführung in die Netzwerkanalyse. Grundlagen, Methoden, Forschungsbeispiele, Wiesbaden, 3. Aufl. 2006, S. 79.

miteinander (die Soziale Netzwerkanalyse nennt solche Schlüsselfiguren „Broker")? Wie lange bestand das Netzwerk? Zerfiel es mit der Auflösung der Organisation bzw. mit einem einschneidenden politischen Ereignis?

Die Eigenschaften der Beziehungen können in verschiedene Dimensionen differenziert werden. Wie sie im Vorfeld definiert und während der Datenerhebung gegebenenfalls neu definiert werden, hängt von den Erkenntnisinteressen, der Quellenlage und der Quellenkritik ab, die für jede historische Netzwerkanalyse den Bezugspunkt bilden muss. Grundsätzlich ist es für ein (Brief-) Netzwerk sinnvoll, zwischen gerichteten und ungerichteten Relationen zu unterscheiden, wodurch auf die Reziprozität einer Beziehung, in diesem Fall einen Brief*wechsel*, geschlossen werden kann. Ferner ist die Anzahl ausgetauschter Briefe ein Indikator für die Intensität einer Beziehung.[39] Interessant wird es, wenn Relationen in mehreren Ebenen differenziert erfasst werden. Bei derart multiplexen Netzwerkbeziehungen steigen unweigerlich der Arbeitsaufwand und Komplexitätsgrad bei der Erhebung der Daten an, weswegen häufig bei mehrschichtigen Beziehungen eher auf Ego- als auf Gesamtnetzwerke zurückgegriffen wird.[40] Hierdurch lässt sich nicht nur feststellen, dass

---

[39] Je nach Forschungsgegenstand und Quellenlage kann es sinnvoll sein, andere Indikatoren hinzuzuziehen. Vgl. *Busse* (s. Fn. 9), S. 59–60.

[40] *Düring/Keyserlingk* (s. Fn. 35), S. 343; *Jansen* (s. Fn. 38), S. 79–87.

Briefwechsel zwischen Akteuren vorherrschten, sondern die Beziehungen könnten anhand einer vorher festgelegten und aus den Quellen gewonnenen Codierung unterschieden werden. Relationen könnten nach den Intentionen des Absenders (z. B. „fragt um Rat", „möchte beeinflussen"), gemeinsamen politischen Haltungen oder Mitgliedschaften, nach der Form der Anrede (ehrerbietig, formell, freundschaftlich etc.), aber auch nach formalen Kriterien (Sprache, in der der Brief geschrieben ist; Länge und vielem mehr) codiert werden.

Je nach Komplexität und Datengrundlage des Netzwerks können zudem verschiedene Berechnungen hilfreich sein, die gemeinsam mit den Ergebnissen klassisch hermeneutischer Quellenkritik ausgewertet werden müssen.[41] Dazu zählen beispielsweise Berechnungen zur Dichte eines Netzwerks, die Auskunft darüber geben, wie stark die Akteure eines Netzwerks untereinander in Verbindung stehen, oder verschiedene Zentralitätsmaße, die beschreiben können, ob und inwiefern es in Gesamtnetzwerken zentrale Akteure gibt oder wie stark sich einzelne Akteure um Einbindung in ein Netzwerk bemühen. Eine solche formale Analyse lässt noch keine Aussage zu, ob ein Akteur seine günstige Position in einem Netzwerk auch genutzt hat. Jedoch provozieren gerade solche Widersprü-

---

[41] Explizit für die historische Verwendung formaler Methoden *Martin Stark*: Netzwerkberechnungen. Anmerkungen zur Verwendung formaler Methoden, in: Düring, Handbuch (s. Fn. 35), S. 155–171. Vgl. auch die entsprechenden Passagen in: *Jansen* (s. Fn. 38), S. 127–162.

che neue Fragen, die den Forschungsprozess anleiten und voranbringen können.[42]

Die klassische historische Arbeit trifft bei der Auseinandersetzung mit Netzwerken häufig aufgrund der begrenzten menschlichen Vorstellungskraft auf Grenzen, die dank moderner Software verschoben werden können. Die Visualisierung der erhobenen Netzwerkdaten erlaubt es, den Überblick über das zu untersuchende Netzwerk zu behalten und sie – aufgrund der Kenntnis über die der Visualisierung zugrundeliegenden Berechnungen – für die Forschung als heuristisches Mittel einzusetzen.[43] Gegenüber einer textlichen, tabellarischen oder selbstgezeichneten visuellen Darstellung sozialer Beziehungen stellt die computergestützte Visualisierung von Netzwerken einen erheblichen Fortschritt für das historische Arbeiten dar – ganz zu schweigen von der Präsentation der Arbeitsergebnisse. Gleichwohl muss auf die Gefahr hingewiesen werden, der Suggestionskraft vermeintlich objektiver Visualisierungen zu erliegen.[44] Im Idealfall dürfen Visualisierungen nicht allein der Auflockerung des Textes dienen oder kryptische Abbildungen des ausgewerteten Materials sein, sondern müssen eine über die verbale

---

[42] *Düring/Eumann* (s. Fn. 35), S. 382–383.

[43] *Ulrich Eumann*, Heuristik. Hypothesenentwicklung und Hypothesentest, in: Düring, Handbuch (s. Fn. 35), S. 123–138; vgl. auch: *Stuber* (s. Fn. 37), S. 373–374; Allgemein: *Lothar Krempel*: Visualisierung komplexer Systeme. Grundlagen der Darstellung mehrdimensionaler Netzwerke, Frankfurt/M. 2005.

[44] *Düring/Keyserlingk* (s. Fn. 35), S. 343.

Beschreibung hinausgehende oder diese beschleunigende bzw. vereinfachende analytische Qualität haben. Gerade bei einer größeren Anzahl an Akteuren ist es nicht unwahrscheinlich, dass durch Visualisierungen Beziehungen zwischen den Beteiligten entdeckt werden (manchmal über mehrere Stationen), die vorher aufgrund der schwer zu überschauenden Materialmenge und der begrenzten Vorstellungskraft unbeachtet blieben und zu einem (erneuten) Blick in die Quellen ermutigen. Bei der historischen Netzwerkanalyse handelt es sich um ein methodisches Instrumentarium, das derzeit in Mode ist und mit der Entwicklung geeigneter *Tools* zur Datenbankanalyse die Briefforschung voranbringen könnte. Die Anwendung solcher Methoden und Hilfsmittel wird jedoch nur dann zu neuen Erkenntnissen führen, wenn Fragen gestellt werden, die mit den verwendeten Methoden kompatibel sind und wenn Visualisierungen nicht illustrativer Selbstzweck bleiben, sondern zur Analyse genutzt werden.

Die folgenden Abbildungen (S. 43, 47 und 49) sollen einige methodische Fragen und verschiedene Möglichkeiten bei der Visualisierung anreißen. Sie zeigt *eine* Visualisierung eines politischen Gesamtnetzwerks im Bereich des preußenfreundlichen deutschen Liberalismus, also der Strömung, die auf der Basis der 1849 in der Paulskirche beschlossenen Verfassung mit Hilfe des preußischen Staates und vor allem seiner Armee ein freiheitliches, einiges und mächtiges Deutsches Reich mit einem Hohenzollern als Kaiser schaffen wollte. Die Abbildung beleuchtet den Zeitraum von 1859

bis 1871 – von der Gründung des Deutschen Nationalvereins bis zur Gründung des deutschen
Nationalstaats.[45] Grundlage der Visualisierung ist
eine umfassende Datenbank zu politischen Briefen
des 19. Jahrhundert, die derzeit an der Universität
Trier erstellt wird und die Auffindbarkeit bereits
edierter Briefe für die künftige Forschung erleichtern soll.[46]

---

[45] Zum politischen Hintergrund vgl. *Christian Jan-*
sen: Gründerzeit und Nationsbildung 1849–1871. Paderborn 2011; *Andreas Biefang*: Politisches Bürgertum in
Deutschland 1857–1868. Nationale Organisationen und
Eliten, Düsseldorf 1994; *Der Deutsche Nationalverein*
1859–1867: Vorstands- und Ausschußprotokolle. Bearb.
von Andreas Biefang, Düsseldorf 1995. Grundlegend zu
Netzwerkvisualisierungen: *Krempel* (s. Fn. 35); als knap-
pe Einführung: *ders.*, Netzwerkvisualisierung, in: Christian Stegbauer/Roger Häußling (Hg.), Handbuch Netzwerkforschung, Wiesbaden 2010, S. 539–567.

[46] In der Datenbank sind bisher über 700 Briefschrei-
ber bzw. -empfänger mit über 5.000 Briefen enthalten
aus: *Max Duncker*: Politischer Briefwechsel aus seinem
Nachlaß. Hg. von Johannes Schultze, Stuttgart 1923;
Julius Heyderhoff: Die Sturmjahre der preußisch-deut-
schen Einigung 1859–1870. Politische Briefe aus dem
Nachlaß liberaler Parteiführer (Bonn 1925), Reprint Osnabrück 1967; *Wentzcke* (s. Fn. 4); *Jacoby* (s. Fn. 29),
Bd. 2; *Jansen*, Nach der Revolution (s. Fn. 2); *Hermann*
Oncken: Rudolf v. Bennigsen. Ein deutscher liberaler
Politiker. Nach seinen Briefen und hinterlassenen Papie-
ren, 2 Bände, Stuttgart 1910; *Droysen* (s. Fn. 29); *Ferdi-*
nand Lassalle: Nachgelassene Briefe und Schriften, hg.
von Gustav Meyer, Bd. 2 und 5 (Stuttgart u. a. 1923 und
1925), Reprint Osnabrück 1967. Um den Zugriff auf das
vielfältige bereits edierte Material und damit auch die
Forschung zum 19. Jahrhundert zu erleichtern, soll diese
Datenbank in den kommenden Jahren zu einem online-

Das Beispiel soll Potenzial und Grenzen einer solchen Visualisierung verdeutlichen. Es kann hier aber keine umfassende Netzwerkanalyse stattfinden. Die Visualisierung wurde mithilfe der in Frankreich entwickelten Software *Gephi*[47] erstellt, die verschiedene Visualisierungsalgorithmen bereitstellt. Die meisten Algorithmen zählen zu den sogenannten *spring embedders* („federnde Einbetter"). Knoten sind von Kräften umgeben, die dafür sorgen, dass sie einander abstoßen. Die Relationen zwischen den Knoten wirken wiederum wie „Federn", die die Knoten zueinander ziehen. So positioniert der Algorithmus in einem sich wiederholenden („iterativen") Vorgang die Knoten mit vielen ein- und ausgehenden Relationen eher im Zentrum der Visualisierung, Knoten mit wenigen Relationen eher in der Peripherie.[48] Die Größe der Knoten spiegelt die Anzahl der Briefpartner wider. Für die Übersichtlichkeit der Visualisierung wurde die Frequenz des Briefwechsels (Briefe pro Jahr) ebenso wenig berücksichtigt wie die Richtung des Briefwechsels.[49] So wird etwa davon ausgegangen, dass zwischen Karl Twesten und Rudolf von Bennigsen ein wechselseitiger Austausch bestand, obwohl (für

---

Portal weiterentwickelt werden, das die vorhandenen Editionen erschließt und so der Forschung leichter zugänglich macht.

[47] Vgl. https://gephi.org.

[48] *Jürgen Pfeffer*: Visualisierung sozialer Netzwerke, in: Christian Stegbauer (Hg.): Netzwerkanalyse und Netzwerktheorie, Wiesbaden 2010, S. 227–238.

[49] Es wurden kollektive Akteure und staatliche Akteure wie Polizeipräsidien etc. herausgefiltert.

den betreffenden Zeitraum) nur ein Brief von Bennigsen an Twesten überliefert und ediert ist. Auf diese Weise sollen die Lücken in der Überlieferung berücksichtigt werden, da die Gegenbriefe nicht immer vorhanden sind und sich oft keine vollständige Korrespondenz rekonstruieren lässt. Auch wenn fast nur Briefe in eine Richtung erhalten sind, bietet die Zahl der überlieferten Briefe den einzigen Anhaltspunkt für die Intensität einer Korrespondenz. Die Richtung der überlieferten Briefe hat vor allem Auswirkungen auf Berechnungen der *betweenness centrality* („Intermediationszentralität"), die ein Indikator für potenziell einflussreiche Personen in einem Briefnetzwerk ist, also für diejenigen, die die Kommunikationsflüsse zumindest theoretisch beeinflussen und kontrollieren. Die *betweenness centrality* gibt für jede Person im Netzwerk die Anzahl der kürzesten Pfade (direkte Verbindungen bzw. solche über möglichst wenige Stationen) zwischen allen möglichen Paaren aus je zwei Akteuren im Netzwerk an, die über ihn führen. Je häufiger ein Akteur also auf den Pfaden zwischen zwei Akteuren im Netzwerk liegt, desto größer ist seine *betweenness centrality*.[50] Das Fehlen von Briefen Twestens an Bennigsen würde demnach bedeuten, dass ausgehend von Twesten zu Bennigsen keine Beziehung bestünde, also Twesten nicht in der Lage gewesen wäre, Bennigsen zu kontaktieren, wodurch seine *betweenness centrality* geringer ausfallen und seine Position im Briefnetz-

---

[50] Die Aussagekraft angesichts der lückenhaften Quellenlage steht wiederum auf einem anderen Blatt.

werk marginalisiert würde. Deshalb ist es in diesem
Fall sinnvoll, für die Berechnungen davon auszu-
gehen, dass Briefe in beiden Richtungen gewech-
selt wurden. Derartige Vorannahmen müssen auf
das jeweilige (Brief-)Netzwerk abgestimmt sein
und bei der Interpretation berücksichtigt werden.
Wie so häufig bei der Übertragung sozialwissen-
schaftlicher Methoden auf die Geschichtswissenschaft ergeben sich Einschränkungen der Anwend-
barkeit daraus, dass es bei der Rekonstruktion historischer Netzwerke immer Überlieferungslücken
gibt, während die Soziologie ihre Daten (etwa zur
Konstruktion eines Freundschaftsnetzwerks) aus
Befragungen oder der Auswertung der Kommunikation beispielsweise in den *social media* gewinnt.
Wegen der größeren zeitlichen Nähe zwischen der
beobachteten Kommunikation und ihrer Analyse ist
die Datenbasis in der Regel deutlich vollständiger.

Eine so komplexe Visualisierung mag auf den
ersten Blick unübersichtlich und wenig hilfreich
erscheinen. Allerdings geht es bei einer solchen
Visualisierung eines Gesamtnetzwerks weniger um
die Nachzeichnung einzelner Beziehungen, in diesem Fall um die Korrespondenz zwischen einzelnen Akteuren, sondern um die Netzwerkstruktur.
So werden hier Teilnetzwerke erkennbar, die sich
daraus ergeben, dass Briefeditionen im Allgemeinen um eine Person zentriert sind. Besonders
deutlich wird es an den Clustern um Johann Jacoby und Ferdinand Lassalle, die beide über zahlreiche Briefpartner verfügten, die nur mit einem der
beiden in Kontakt standen. Dieses Bild würde sich
durch die Erweiterung der Datengrundlage ändern,

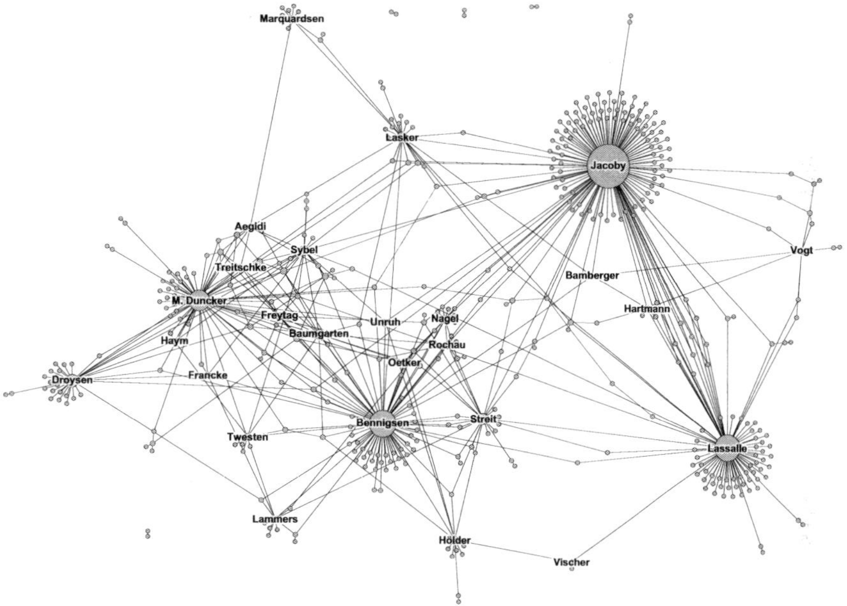

Abb. 1: Gesamtnetzwerk der Briefkommunikation liberaler und demokratischer Politiker 1859–70.

zum Beispiel für Lassalle durch die Einbeziehung der Korrespondenz von Karl Marx und Friedrich Engels. Kleinere Cluster lassen sich beispielsweise auch um den Abgeordneten der bayrischen Fortschrittspartei[51] Heinrich Marquardsen oder mit Einschränkung auch um Eduard Lasker erkennen. Die politische Distanz zwischen dem Nationalliberalen Rudolf von Bennigsen und dem Demokraten Johann Jacoby – beide waren Mitglieder im Ausschuss des Nationalvereins – zeigt sich auch in der Visualisierung: Trotz seiner Verbindungen zum Zentrum des Netzwerks steht Jacoby eher am Rand, bedingt durch seine zahlreichen Kontakte zu Briefpartnern Lassalles und peripheren Akteuren. Die linke Hälfte der Visualisierung unterscheidet sich strukturell deutlich von der rechten, in der sich Jacoby und Lassalle befinden. Die auf der linken Hälfte visualisierte Kommunikation im Briefnetzwerk ist besonders dicht und die Überschneidungen lassen kaum noch einzelne Verbindungen zwischen den Akteuren erkennen. Da die Datengrundlage auf autorzentrierten Editionen liberaler Politiker der „Reichsgründungszeit" sowie

---

[51] In der Deutschen Fortschrittspartei arbeiteten Liberale und Demokraten zusammen, die auf der Basis der Reichsverfassung von 1849 eine Einigung Deutschlands unter preußischer Führung anstrebten. Sie war 1862–66 der wichtigste politische Gegenspieler Bismarcks, dessen erfolgreiche Politik allerdings zu ihrer Spaltung 1866/67 führte. Vgl. *Christian Jansen*: Die Fortschrittspartei – ein liberaler Erinnerungsort? Größe und Grenzen der ältesten liberalen Partei in Deutschland, in: Jahrbuch zur Liberalismusforschung 24 (2012), S. 43–56.

auf der zweibändigen Edition von Julius Heyderhoff und Paul Wentzcke mit 170 verschiedenen
Briefschreibern und -empfängern basiert, die für
zahlreiche Überschneidungen der Briefpartner
sorgt, ist dieser Teil der Visualisierung besonders
aussagekräftig, wenn auch, da es sich um ein lau-
fendes Projekt handelt, noch keineswegs vollständig.[52]

Die Aussagekraft einer solchen Visualisierung
ist für den Forschenden, der sich in seinem Daten-
satz auskennt, auf dem Rechner ungleich höher als
in der hier vorliegenden gedruckten Form. Im
Gegensatz zur statischen, nicht zoomfähigen und
meistens schwarz-weißen Darstellung auf Papier,
ermöglicht die dynamische Darstellung am PC
weitere Anzeige- und Visualisierungsoptionen,
beispielsweise durch Farbgebung oder Zusatzin-
formationen, die sich mit der Bewegung des Cur-
sors über den Bildschirm ein- oder ausblenden.
Eine Alternative ist die online-Publikation solcher
Abbildungen, die dann farbig und sogar dynamisch als zeitliche Abfolge dargestellt und auch
für Details vergrößert angezeigt (herangezoomt)
werden können. Außerdem lässt sich in einer elektronischen Publikation der zugrunde liegende Da-
tensatz leicht bereitstellen, so dass der Benutzer

---

[52] Zu den bisher ausgewerteten Editionen s. Fn. 46.
Es fehlen z. B. noch die wichtigen edierten Briefwechsel
von Rudolf Haym (Ausgewählter Briefwechsel. Hg. v.
Hans Rosenberg. Stuttgart 1930) und Heinrich von
Treitschke (Briefe. Hg. v. Max Cornicelius, 3 Bände.
Leipzig 1912–1920).

die Visualisierung überprüfen und fundiert kritisieren kann.[53]

Es ist eine der großen Herausforderungen an die Geschichtsvermittlung im digitalen Zeitalter Programme zu entwickeln, die analytisch aussagekräftige Visualisierungen ermöglichen, und Formate, die deren Publikation erlauben, so dass Visualisierung nicht schmückendes Beiwerk bleiben, sondern Erkenntnisse fördern und Ergebnisse anschaulich zusammenfassen. Am digitalen Arbeitsplatz können Visualisierungen mehr Komplexität darstellen, als es in gedruckten Publikationen möglich ist, aber zugleich zugänglicher und transparenter sein. Die Visualisierung des in Abb. 1 gezeigten Briefnetzwerks der Jahre 1859 bis 1871 kann dynamisch oder durch 13 Schnappschüsse der jeweiligen Jahre gezeigt werden, wodurch auch Veränderungen des Netzwerks im zeitlichen Verlauf, etwa durch den Tod Lassalles (1864) oder Twestens (1870) oder anderer hier nicht hervorgehobener Personen, deutlich werden. Die Namen einzelner Akteure können gezielt angezeigt, Cluster eingefärbt, nur bestimmte Personengruppen nach Eigenschaften ausgewählt, Netzwerke auf verschiedene Art und Weise gefiltert oder Ego-Netzwerke einzelner Personen ausgegeben werden. Wie verändert sich das Briefnetzwerk, wenn man prominente Liberale wie Hermann Baumgarten oder Heinrich von Sybel

---

[53] Für solche Zwecke wurde Anfang 2017 in Trier, Luxemburg und weiteren Orten das Journal of Historical Network Research gegründet. Vgl. https://jhnr.uni.lu/index.php/jhnr/index.

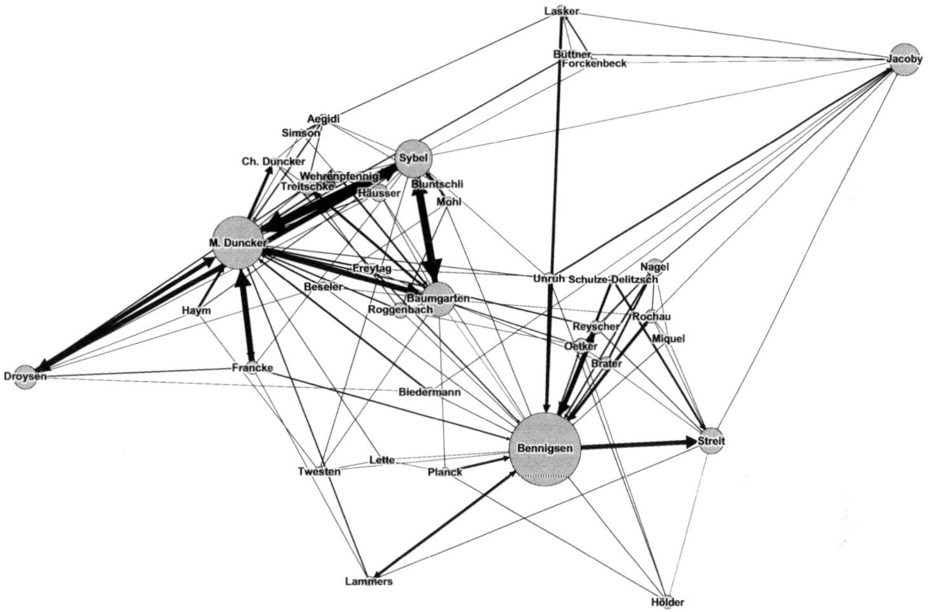

Abb. 2: Teilnetzwerk aus Abb. 1 mit Richtung und Intensität der Kommunikation.

herausnimmt? Ist die Kommunikation zwischen den beteiligten Liberalen dichter als zwischen den beteiligten Demokraten? Durch wen finden Überschneidungen zwischen den politischen Richtungen statt? Dem explorativen Vorgehen sind grundsätzlich keine Grenzen gesetzt, und es kann sich lohnen, mit seinen Daten „herumzu*spielen*, um ein möglichst differenziertes Bild von dem zu analysierenden Netzwerk zu bekommen".[54] Welche Visualisierung sich letztlich zur gedruckten oder online präsentierten Publikation der Arbeitsergebnisse eignet, hängt insofern vom Rezipientenkreis, von den technischen Möglichkeiten und vor allem von der jeweiligen Fragestellung ab. Visualisierungen können ohne den nötigen Hintergrund und das Wissen um ihre begrenzte Aussagekraft zu historisch falschen Interpretationen verleiten.

Die nächste Visualisierung zeigt einen Ausschnitt des bereits in Abbildung 1 gezeigten und besprochenen Netzwerks. Es ist das eigentliche Zentrum, das nur diejenigen Akteure anzeigt, die über mindestens vier Briefpartner verfügen. Hier unterhalten 37 Personen, die alle in der Grafik namentlich genannt werden können, 159 Korrespondenzbeziehungen. Die Kanten zeigen sowohl die Richtung der Kommunikation als auch ihre Intensität an. Die Größe der Knoten drückt erneut die Anzahl der Briefpartner aus. Zur besseren Orientierung wurde die Anordnung der Akteure aus der vorherigen Visualisierung weitgehend beibehalten. Abbildung 2

---

[54] *Eumann* (s. Fn. 43), S. 130 (Hervorhebung im Original).

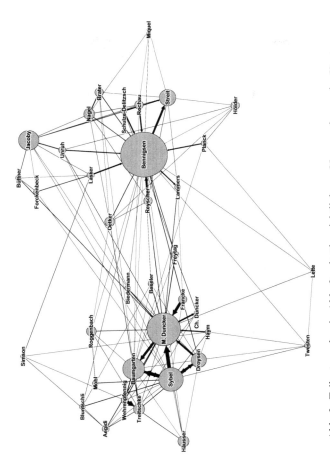

Abb. 3: Teilnetzwerk wie Abb. 2 mit übersichtlicherer Neuanordnung der Knoten.

49

ist ein Teilnetzwerk von Abbildung 1, in der die Relationen nach den genannten Kriterien (Richtung, Intensität) angepasst wurden. Abbildung 3 bezieht diese angepassten Kriterien in die neue Berechnung ein. Da die Relationen zum einen jetzt gewichtet sind durch die Intensität, die an der Zahl der edierten Briefe festgemacht wird, ziehen die „Federn" mit höherer Gewichtung stärker als die mit niedriger Gewichtung. Zum anderen gibt es insgesamt weniger Relationen. Die neue Berechnung führt dazu, dass die Akteure insgesamt enger zusammenrücken, da die Vernetzung der Akteure und die Intensität durch den Algorithmus stärker berücksichtigt werden. Es zeigen sich jetzt deutlicher zwei Bereiche im Netzwerk, ohne dass man von Clustern sprechen würde, da hierfür zu viele Beziehungen untereinander bestanden. Der eine Bereich entfaltet sich entlang der intensiven und dichten Kommunikation zwischen Maximilian Duncker, Heinrich von Sybel, Johann Gustav Droysen und Hermann Baumgarten, obwohl die beiden letzteren keinen direkten Briefkontakt hatten. Der andere Bereich spinnt sich um den Vorsitzenden des Nationalvereins Rudolf von Bennigsen, der vor allem mit den Vorstands- und Ausschussmitgliedern des Nationalvereins in Kontakt stand – aber nicht mit Johann Jacoby, der dafür im brieflichen Austausch stand mit Hans Viktor von Unruh und Fedor Streit, der wiederum intensiv mit Bennigsen korrespondierte. Das bedeutet allerdings nicht, dass zwischen Bennigsen und Jacoby kein Kontakt bestand, wie die Visualisierung suggeriert. Möglicherweise sind die Briefe nicht ediert oder aber nicht erhalten. Sicher ist jedoch, dass sie sich bei den Vorstands- und Ausschusssitzungen des Nationalvereins persönlich begegneten und austauschten.[55]

Häufig hat die Arbeit mit vorhandenen Editionen auch mit weitaus basaleren Problemen zu kämpfen, nämlich mit einer bewusst oder unbewusst verfälschenden Wiedergabe des Materials. Das beginnt bei der aus finanziellen und/oder arbeitsökonomischen Gründen vorzunehmenden Auswahl der in Archiven vorhandenen Briefe für eine Edition. Aus welchen Gründen bestimmte Briefe ausgewählt wurden, andere wiederum nicht, wird in den Einleitungen in der Regel nicht offengelegt. Auch hier bedeutet elektronisches Publizieren eine deutliche Verbesserung. Denn die Limitierungen durch den möglichen Umfang eines Bandes bzw. die Kosten für die Publikation entfallen, und es bleiben nur noch die arbeitsökonomischen Limitierungen: wie viel Zeit kann aufgewendet/finanziert werden, um Texte zu finden, zu transkribieren, zu kommentieren usw.? Problematischer als das Weglassen ganzer Briefe oder Bestände sind die Auslassungen innerhalb der edierten Texte, die in der Regel durch [...] oder ... markiert werden, wobei auch auf die Einhaltung dieser Regel selbst bei wissenschaftlichen Editionen kein Verlass ist. Gute wissenschaftliche Praxis würde verlangen, dass jeweils angegeben wird, was fehlt, wie etwa im folgenden Beispiel:

---

[55] Vgl. *Der Deutsche Nationalverein* (s. Fn. 45), S. 281–290 (22. u. 24.11.1863), S. 394f. (6.8.1866).

„Bester Herr Professor.

Ihren lieben Brief oder etwas daraus beantworte ich umgehend. Es ist eben darin etwas, wofür ich einen elektrischen Telegraphen haben möchte. *Aegidi weist eine Kritik von Gervinus empört zurück. Um was genau es geht, bleibt unverständlich.*

Sie schreiben, „Alles, was ich höre und sehe, selbst von Ihnen, bestärkt mich darin, daß wir einer reaktionären Stagnation etc." – Nein, davon spüre ich in mir kein Symptom. Im geraden Gegentheil, schrittweise bin ich seit März 49 innerlich freier geworden, [...]."[56]

Auslassungen sollten möglichst unter Angabe der Zahl der ausgelassenen Zeilen inhaltlich zusammenfassend beschrieben werden, insbesondere sollte auch angegeben werden, wo die Bearbeiter Stellen nicht entziffern konnten – anstatt sie ohne Vermerk wegzulassen.

Immer wieder lassen sich aber sogar in wissenschaftlichen Editionen Auslassungen aus hagiografischen oder ideologischen Gründen nachweisen, die dann konsequenterweise nicht gekennzeichnet den Inhalt grob verfälschen. Ein prominentes Beispiel hierfür sind die Briefe Bismarcks, bei denen die Herausgeber – durchweg renommierte Historiker – noch bis in die 1960er Jahre hinein versuchten, ihren Helden in einem möglichst positiven Licht erscheinen zu lassen. Irreführend schrieben die Herausgeber der Briefe in ihrer Einleitung: „Nur das ist fortgelassen worden, was tatsächlich

---

[56] Ludwig Karl Aegidi an Georg Gottfried Gervinus, Berlin, 23.7.1849, in: *Jansen,* Nach der Revolution (s. Fn. 2), S. 15.

Anh. Nr. 5. Ergänzungen zu dem Brief an die Braut vom 23. Februar 1847: Verhältnis zu Mutter und Vater. (WiA I, 99 f. Nr. 52 = W 14, 67 Nr. 85; Sempell, HZ 207, 609 ff.)

[Der Passus des Briefes über die Eltern lautet ungekürzt, folgendermaßen:]

Meine Mutter war eine schöne Frau, die äußre Pracht liebte, von hellem lebhaftem Verstande, aber wenig von dem, was der Berliner Gemüt nennt. Sie wollte, daß ich viel lernen und viel werden sollte, und es schien mir oft, daß sie hart, kalt gegen mich sei; * Als kleines Kind haßte ich sie, später hinterging ich sie mit Falschheit und Erfolg*. Was eine Mutter dem Kind wert ist, lernt man erst, wenn es zu spät, wenn sie tot ist; die mittelmäßigste Mutterliebe, mit allen Beimischungen mütterlicher Selbstsucht, ist doch ein Riese gegen alle kindliche Liebe. *Ich habe mich vielleicht nirgend schwerer versündigt als gegen meine Eltern, gegen meine Mutter aber über alles*! Meinen Vater liebte ich wirklich, und wenn ich nicht bei ihm war, *fühlte ich Reue über mein Benehmen gegen ihn und* faßte Vorsätze, die wenig standhielten; denn wie oft habe ich seine wirklich maßlose, uninteressierte, gutmütige Zärtlichkeit für mich mit Kälte und Verdrossenheit gelohnt, *und noch öfters aus Abneigung, die mir anständig erscheinende Form zu verletzen, ihn äußerlich geliebt, wenn mein Inneres hart und lieblos war, über anscheinende Schwächen, deren Beurteilung mir nicht zustand, und die mich doch eigentlich nur ärgerten, wenn sie mit Formverletzung verbunden waren*. Und doch kann ich die Behauptung nicht zurücknehmen, daß ich ihm gut war im Grunde meiner Seele. *Wenn ich so am grünen Holze handelte, wirst Du da denken, wie werde ich da sündigen, wo ich nicht liebe? Ich wollte Dir darlegen, wie ich mit dem 4. Gebot die Splitter aus Deinem Auge zu ziehen suchte und jahrelang die Balken in meinem geduldet habe, aber auch wie schwer mich das drückt, wenn ich daran denke*. Über Glaubenssachen habe ich mit meinem Vater nie gesprochen. [...]

** In den bisherigen Ausgaben fehlende Stellen.

Anh. Nr. 5. Ergänzungen zu dem Brief an die Braut vom 23. Februar 1847: Verhältnis zu Mutter und Vater. (WiA I, 99 f. Nr. 52 = W 14, 67 Nr. 85; Sempell, HZ 207, 609 ff.)

[Der Passus des Briefes über die Eltern lautet ungekürzt folgendermaßen:]

Meine Mutter war eine schöne Frau, die äußre Pracht liebte, von hellem lebhaftem Verstande, aber wenig von dem, was der Berliner Gemüt nennt. Sie wollte, daß ich viel lernen und viel werden sollte, und es schien mir oft, daß sie hart, kalt gegen mich sei; ▮▮▮▮▮▮▮▮ Was eine Mutter dem Kind wert ist, lernt man erst, wenn es zu spät, wenn sie tot ist; die mittelmäßigste Mutterliebe, mit allen Beimischungen mütterlicher Selbstsucht, ist doch ein Riese gegen alle kindliche Liebe. ▮▮▮▮▮▮▮ Meinen Vater liebte ich wirklich, und wenn ich nicht bei ihm war, ▮▮▮▮▮ ▮▮▮▮ faßte Vorsätze, die wenig standhielten; denn wie oft habe ich seine wirklich maßlose, uninteressierte, gutmütige Zärtlichkeit für mich mit Kälte und Verdrossenheit gelohnt, ▮▮▮▮▮▮▮▮ ▮▮▮▮▮▮▮▮ Und doch kann ich die Behauptung nicht zurücknehmen, daß ich ihm gut war im Grunde meiner Seele. ▮▮▮▮▮▮ Über Glaubenssachen habe ich mit meinem Vater nie gesprochen. [...]

** In den bisherigen Ausgaben fehlende Stellen.

Abb. 4: Bismarck-Brief an die Braut mit und ohne Streichungen, die bis Mitte der 1960er Jahre tabuisiert waren.

nach keiner Richtung hin als wertvoller Stein im großen Mosaik gelten kann."[57] 1968 wurden einige wichtige Auslassungen erstmals publiziert.[58] Spektakulär sind beispielsweise die nicht durch [...] markierten Auslassungen in dem berühmten Brief, in dem Bismarck seiner künftigen Frau seine Eltern vorstellte. Kritische Passagen über die Mutter wurden bis in die Ausgabe „Werke in Auswahl" (Stuttgart 1962–1983, unveränderter Nachdruck durch die Wissenschaftlichen Buchgesellschaft, Darmstadt 2001) weggelassen (s. Abb. 4). Erst seit 2004 erscheint mit der „Neuen Friedrichsruher Ausgabe" im Schöningh-Verlag eine historisch-kritische Bismarck-Ausgabe – mehr als 100 Jahre nach dem Tod des zum Nationalmythos als „Reichsgründer" verklärten Politikers.

Politisch motivierte Auslassungen finden sich auch in den klassischen und in der Regel kaum quellenkritisch benutzten Editionen der renommierten Reihe „Deutsche Geschichtsquellen des 19. und 20. Jahrhunderts". Im Wilhelminismus und nach der Niederlage im Ersten Weltkrieg sollte die Gründung des Kaiserreichs als Höhepunkt der deutschen Geschichte erscheinen. Kritische Äußerungen wurden in thematischen Editionen zur Reichsgründung und zur Bismarckzeit wegge-

---

[57] *Otto v. Bismarck*: Gesammelte Werke (Friedrichsruher Ausgabe), 15 Bände, Berlin 1924–1935, Bd. XIV/1, S. VIII.

[58] *Charlotte Sempell*: Unbekannte Briefstellen Bismarcks, in: Historische Zeitschrift 207 (1968), S. 609–616.

Berlin, 22. September 1854.

... Wir hatten die „Hamb. Nachr." eine Polemik gegen die ministeriellen Artikel der „Nationalzeitung" einfach ad acta gelegt und durch Fremsderff zu wissen gethan, ich möchte doch nicht so scharf schreiben, da es doch nicht helfe. Einer Korrespondenz über Oesterreichs Politik würde insofern die Spitze abgebrochen, als die Wiener Hofschnauselen bis Spitze abgebrochen doch erst vor Wien stehen, gestrichen wurde. In der „Köln. Zeitung" ähnlich. Von einem polemischen Excurse gegen die „Nationalzeitung" ist nur der Ferk behältert, jetzt geschickt, das muß man sagen ... Die „Nationalzeitung" hat wieder links gewirgelt. Es ist wenig darüber zu erfahren. Der böse Eindruck hat Zabel heftig erschreckt. Paälow, der das Schandzeug meistens geschrieben hatte, ist krank vor Ärger und schmollt mit der bösen Welt und hat das Zabel nicht verhehlt. Vielleicht ist es gut, daß die Sache mal zum Ausbruch gekommen ...

---

184.   Julius Frese an Max Duncker, Berlin, 22. September 1854

GStA Berlin, Rep. 92, Nl. Duncker/39, Bl. 3f.; stark gekürzt in: M. Duncker, 1923, Nr. 95.

Geehrter Herr Professor,

ich benutze das freundliche Anerbieten des Hrn. v. K.[1] um Ihnen über den Fortgang der für die Presse verabredeten Thätigkeit[2] Bericht zu geben. Wenn nemlich Bericht und Fortgang anwendbare Bezeichnungen sind für unsere gegenwärtige Lage.

Der zweite Besuch, den Fremsd.[3] und ich bei Samwer[4] [wohl in Coburg] machten, ließ freilich in seinem Ergebniß für die nächste Zukunft wenig erwarten. Auch erfuhren wir, daß Bock[5] erst wieder nach Leipzig zurückgethan und dort näheren Bescheid erwarten werde. Doch noch hinter unseren Erwartungen zurückgeblieben ist das, worüber wir senden zu verfügen hatten. Außer einem Briefe – Analyse der russischen Antwort, die schon vor der Ankunft publizirt als Vorwurf sein, Collision von Pflichten, bei der für uns nichts herauskommt. Das soll kein Vorwurf sein, nur [ ] ein Factum. – Von andern Quellen fließt vollends nichts. Möchten Sie nicht Samwer

---

einmal wieder erinnern?! Er stellte damals wenigstens die Möglichkeit einer neuen Verbindung [für Neum.* oder Mich in Aussicht. Und auch ex propriis [aus seinem Besitz] könnte er, glaube ich, Einiges geben, wenn auch aus älteren Documenten.[7] Die Veröffentlichung derselben wäre jetzt, denke ich, weder indiscret noch gefährlich.

Samwers mündliche Mittheilungen haben wir nach Kräften verarbeitet. Aber mit schlechterm Erfolge. Hören Sie nur! Wie es Fremsd. ergangen, weiß ich nicht. Neumann ist mir einem kurzen Briefe in die Wxerz[e][j][un]ig geschlüpft. Mit hatten die Hamb[urger]. Nachr[ichten]. schon vor der Reise eine Polemik gegen die minist[eriellen]. Artikel der Nat[ional].Z[ei]t[un]ig einfach ad acta gelegt und durch Fremsd. zu wissen gethan, als die schließliche Notiz über [[Otto v.] Bismarck-Schönhausens fremmyen Wunsch, die Russen möchten doch erst vor Wien stehen*, gestrichen wurde. In der Köln[ischen]. Z[ei]t[un]ig ähnlich. Von einem polemischen Excurse gegen die Nat.Zg. ist nur der schlechterne Anfang geblieben; ein mit aller Vorsicht geschriebener Artikel über Österreich, in welchem Bism. Schönh. nur angedeutet war, ist in den Papierkorb gewandert, und damit zugleich die darin enthaltene Hinweisung auf Häym's Broschüre*, aus der ich den Abschnitt über die Interessen-Politik herangezogen hatte. Wo will das hinaus?

Unterdeß ist die officielle Presse thätiger denn je. Alle Tage gehen die Keris hin in alle Welt und seiten der Z[ei]t[un]gen ein. Selbst in die Independance*[10] hat das literal[ische]. Cabinet*[11] – zu Fremsd.'s großem Einsetzen – einen Correspondenten[1] hinausgebracht, jetzt endlich nach mehrjährigem Bemühen. Mit ganz exquisiten diplomatischen Novitäten hat der Kerl debütirte, sehr geschickt, das muß man sagen.|

Alles in Allem: wie wir wetlefern Position statt, wie wir hofften, zu gewinnen. Videant consules*[12], bitte ich daher.

Die Nat.Ztg. hat wieder links gewirgelt. Es ist wenig darüber zu erfahren. Der böse Eindruck hat Zabel*[13] heftig erschreckt. Paälow**, der das Schandzeug meistens geschrieben hatte, ist krank vor Ärger und schmollt mit der bösen Welt, die ihn so mißversteht. Der ehrliche Mathaei*[9] ist wüthend und hat das Zabel'n nicht verhehlt. Vielleicht ist es gut, daß die Sache mal zum Ausbruch gekommen.

Bei Ihren Eltern wie ich mir mir manchen Tage nach meiner Ankunft. Es war da alles ledlich wohl. Seitdem habe ich aber nichts wieder gehört, da Franz [Duncker] nebst Frau noch nicht wieder hier sind.

Es folgt eine nicht entschlüssbare Ausspielung auf einen gemeinsamen Freund.

An Ihre Frau Gemahlin meine beste Empfehlung. Mit besten Grüßen der Ihrige

J. Frese

[quer zum Übrigen]

Ich habe heute Nachmittag Neum. und Fremsd. vergeblich aufgesucht, um sie wegen etwaiger Bestellungen zu fragen; sie waren nicht zu Haus.

Abb. 5: Derselbe Brief in zwei Editionen.

lassen bzw. aus den aufgenommenen Briefen he-
rausgekürzt. Exemplarisch stehen hier die ideolo-
gisch bedingten Auslassungen in einem Brief des
Demokraten Julius Frese an Maximilian Duncker
vom 22. September 1854 in der Edition durch
Johannes Schultze von 1923 und der vollständige
Abdruck in meiner Edition „Nach der Revolution
1848/49: Verfolgung – Realpolitik – Nationsbildung. Politische Briefe deutscher Liberaler und
Demokraten aus den Jahren 1849–1861" von
2004.[59]

Solche Auslassungen ließen sich nur durch die
kostspielige systematische Überprüfung und Neu-
edition der klassischen Ausgaben entdecken und
beseitigen.

II.

Zur Analyse von Briefnetzwerken sind auch
Kenntnisse der Rahmenbedingungen des Briefe-
Schreibens und -Empfangens im 19. Jahrhundert
erforderlich. Insbesondere der Germanist Rainer
Baasner hat sich mit den Grundlagen der brieflichen Kommunikation im 19. Jahrhundert befasst,
mit den Briefkonventionen, der Briefschreibe- und
der Postpraxis. Er sieht einen Epochenwechsel um
das Jahr 1830, als der „individualisierte epistolare
Sturm und Drang" abgelöst worden sei durch „ein

---

[59] Original: Geheimes Staatsarchiv Berlin, Rep. 92,
NL Duncker/39, Bl. 3 f.; Editionen: *Duncker* (s. Fn. 46),
Nr. 95, vs. *Jansen*, Nach der Revolution (s. Fn. 2),
Nr. 184.

allgemein bekanntes und anerkanntes System von Regelvorgaben".[60]

Die Kenntnis der Briefkonventionen ist ebenso wie das Wissen um die Postpraxis und ihre Entwicklung im 19. Jahrhundert eine notwendige Voraussetzung für die historische Quellenkritik, wenn man mit Briefen arbeitet. Die politische, kulturelle und gesellschaftliche Funktion von Briefen ist bestimmt durch technische, politisch-kulturelle, ästhetisch-literarische und gesellschaftliche Veränderungen. Bei der Rekonstruktion und Untersuchung der Briefnetzwerke des 19. Jahrhunderts handelt es sich also um ein Feld, auf dem sich die immer wieder postulierte interdisziplinäre Zusammenarbeit der Geisteswissenschaften bewähren kann – aus Sicht eines Historikers vor allem mit der Germanistik und den Digital Humanities.

In der germanistischen Brieferforschung wurden die Grundfunktionen der Briefkommunikation auf drei Begriffe gebracht, die auch unter historischen Fragestellungen sinnvoll erscheinen[61]:

1. *Informationsübermittlung.* Der Brief trägt Nachrichten aller Art an einen anderen Ort. In dieser Funktion haben Briefe durch neuere Kommunikationsmittel von der Zeitung über die Telegrafie, die in der Mitte des 19. Jahrhunderts erfunden wurde, über das Telefon, das sich seit dem Ersten Weltkrieg zum Massenkommunika-

---

[60] *Baasner* (s. Fn. 3), S. 13.

[61] Vgl. ebenda, S. 2 f.; *Reinhard M. G. Nickisch*: Brief, Stuttgart 1991, S. 13–16.

tionsmittel entwickelte, bis hin zur elektronischen Kommunikation im 20. Jahrhundert an Bedeutung verloren.

2. *Appell.* Über Informationen hinaus verbreiten die meisten Briefe Wünsche, (Be)Werbungen, Bitten, Befehle, Forderungen usw. – vom Liebesbrief[62] bis zu Instruktionen oder Verordnungen für staatliche Funktionsträger. Hier spielt das ständisch-hierarchische Verhältnis zwischen den Briefpartnern eine große Rolle: Ist es durch Über/Unterordnung oder durch Gleichheit geprägt?

3. *Manifestation.* Briefe sollen über die Intentionen, das Selbstverständnis ihrer Verfasser Auskunft geben. Hierzu gehört auch der wichtige Komplex der Selbstinszenierung. Wiederum spielen Konventionen und das gesellschaftliche Verhältnis zwischen den Briefpartnern eine wichtige Rolle, und Informationen hierüber sind für die Interpretation entsprechender Stellen unerlässlich. Denn der manifestierende, bekenntnishafte Charakter von Briefen (bzw. entsprechende Teile) werden in hohem Maße durch Erwartungen über die Einstellungen des Empfängers beeinflusst.

Im 19. Jahrhundert bestimmten verschiedene Faktoren die briefliche Kommunikation. Diese

---

[62] Vgl. sehr eindrucksvoll zur Verbindung von Liebe und politischem Aktivismus *Barbara Potthast*: Liebe als Revolutionssurrogat – Zum Briefwechsel zwischen Therese von Bacheracht und Karl Gutzkow 1848/49, in: Der Liebesbrief. Schriftkultur und Medienwechsel vom 18. Jahrhundert bis zur Gegenwart, Berlin 2008, S. 107–128.

versuche ich auf den folgenden Seiten ohne Anspruch auf Vollständigkeit und unter besonderer Berücksichtigung politischer Briefe, ihrer Funktion, Form und Bedeutung, zu skizzieren und zu analysieren. Dabei werden im Wesentlichen drei große Themen nacheinander behandelt: (1) äußere Umstände und Bedingungen der Briefkommunikation, (2) die Akteure (Briefschreiber und -empfänger, ggf. weitere an der Kommunikation Beteiligte) sowie (3) Inhalt und Form: Briefetikette, bevor abschließend (4) die Bedeutung von Briefen für die Erforschung des 19. Jahrhunderts diskutiert wird.

1. Äußere Umstände und Bedingungen

Postgeschichtlich war das 19. Jahrhundert in ganz Europa eine Zeit großer Veränderungen, die die Geschwindigkeit und Zuverlässigkeit der Briefbeförderung wesentlich verbesserten. Die durchschnittliche Reisegeschwindigkeit eines Briefs verdreifachte sich von 3 km/h im 18. Jahrhundert auf 10 km/h im 19. Jahrhundert. Das Postaufkommen in Europa verdreihundertfachte sich von 45 Millionen im Jahr 1821 auf rund 15 Milliarden im Jahr 1913. Seit 1830 entstand in Europa und Amerika das Postsystem, wie wir es bis heute kennen. 1830 wurde in Frankreich die Zustellung von Post an die Hausadresse eingeführt, 1837 in Großbritannien die Briefmarke erfunden. Frankreich war ein Sonderfall in der europäischen Postgeschichte, denn hier war die Post seit der Revolution verstaatlicht. Dadurch und durch die zentralistische Staatsorganisation stand in Frankreich der Gedanke der Herstellung gleicher Chancen für alle Staatsbürger, am Postverkehr teilzunehmen, stärker als sonst irgendwo im Mittelpunkt. Bereits 1850 wurde ein einheitliches Briefporto für alle Briefe innerhalb des Staatsgebietes (Festlandfrankreich, Korsika und Algerien) eingeführt. Zudem verdanken wir dem französischen System mehrere Postenquêten, die über die Praxis der Postorganisation und Briefzustellung Auskunft geben.[63]

Im Deutschen Bund gab es seit 1823 in größeren Orten öffentliche Briefkästen und erste, verbeamtete Briefträger. Bis in die 1860er Jahre dauerte es, bis sich das bis heute gültige System des Briefversands und der Briefzustellung mit Briefmarken, Briefkästen, zuverlässigem Postversand und Briefträgern in den Staaten des Deutschen Bundes entwickelt und flächendeckend durchgesetzt hatte. Der Bau eines Eisenbahnnetzes seit den 1840er Jahren verkürzte die Postlaufzeiten, d. h. die Zeit, die ein Brief durchschnittlich vom Postamt des Absendeortes bis zum Postamt des Zielortes brauchte, erheblich. Nach der Niederschlagung der Revolutionen von 1848/49 reaktivierten die Großmächte Preußen und Österreich

---

[63] Alles nach *Cécile Dauphin u. a.*: L'enquête postale de 1847, in: Roger Chartier (Hg.): La correspondance. Les usages de la lettre au XIXe siècle, Paris 1991, S. 21–126. Dieser Aufsatz präsentiert Ergebnisse eines seit 25 Jahren laufenden Forschungsprojektes, das die Akten auswertet, die den *gesamten* Postverkehr aller rund 3.000 französischen Postämter zwischen dem 14. und 28.11.1847 dokumentieren.

nicht nur die überwunden geglaubten Institutionen des Deutschen Bundes, sondern gründeten 1850 auch den Deutsch-Österreichischen Postverein. Damit wurde der Deutsche Bund zu einem einheitlichen Postraum, in dem für Briefe, Drucksachen und „Kreuzbandsendungen" (Zeitungen) nur einmal Porto gezahlt werden musste. Das Briefporto war außerdem im gesamten Postvereinsgebiet einheitlich, allerdings damals noch abhängig von der Entfernung, über die ein Brief transportiert wurde. Ein entfernungsunabhängiges Briefporto wurde in Deutschland erst nach der Reichsgründung eingeführt und trug zur ökonomischen und politischen Vereinheitlichung des Deutschen Reichs wesentlich bei. 1867 wurde die Post im Norddeutschen Bund verstaatlicht, besser: verpreußt, denn Preußen als größter Teilstaat übernahm das Postmonopol. Seit 1878 organisierte und vereinfachte der Weltpostverein den internationalen Postverkehr, seit 1912 beschleunigte ihn die Einführung der Luftpost erneut wesentlich.[64]

Die im 19. Jahrhundert in ganz Europa fortschreitende Alphabetisierung erlaubte immer mehr

---

64 Zur Geschichte der Post und ihrer großen Bedeutung für die Nationsbildung *Siegfried Weichlein*: Nation und Region. Integrationsprozesse im Bismarckreich, Düsseldorf 2004, S. 105–189. Zur Höhe des Portos s. u. Zur Entwicklung in Österreich-Ungarn vgl. *Mirko Herzog/Wolfgang Pensold*: „Die geflügelten Boten des Fortschritts und der Bildung". Über die Anfänge der modernen Mediengesellschaft zwischen staatlicher Kontrolle, bürgerlichem Kommerz und Massenkonsum (unveröff. Ms.; ca. 2007), S. 6 f.

Tabelle 1: Anzahl versandter Briefe
in verschiedenen Ländern und Jahren.

Ausgewählt wurden nur Jahre, aus denen Zahlen vorliegen. Seit 1868 liegen für den Norddeutschen Bund bzw. das Deutsche Reich jährliche Zahlen vor. Hier wurden die Jahre ausgewählt, für die Vergleichszahlen aus anderen Ländern gefunden werden konnten.

Jahr	Preußen	Groß-britannien	Frankreich	Österreich (Cisleithanien)
1821			45.382.000	
1825			53.385.000	
1832			66.915.000	
1837			83.348.000	
1839		82.500.000		
1840		169.000.000		
1841		196.500.000		
1842	34.859.342	208.500.000		
1843		220.500.000		
1844		242.000.000		
1845		271.500.000		
1846	48.217.786	299.500.000		
1847		322.000.000	126.480.000	
1848		329.000.000		
1849			158.268.000	
1850	62.750.576			
1855	98.210.281			50.000.000
1856		478.000.000		
1857			252.453.000	
1860	135.377.086			
1865	189.911.488			
	Norddeut-scher Bund			
1868	274.014.000	808.000.000		98.000.000
1869	301.434.000			122.000.000

Jahr	Preußen	Groß-britannien	Frankreich	Österreich (Cisleithanien)
1870	334.000.000	863.000.000		
	Deutsches Reich			
1877	686.000.000		318.600.000	
1897	2.297.000.000		785.005.000	
1899	2.634.000.000	2.247.000.000		
1913	6.822.000.000		1.394.686.000	

Quellen: Zahlen für Großbritannien 1839–1848: The Times. London, 1.2.1849, S. 6; Preußen, Norddeutscher Bund und Deutsches Reich: eigene Berechnung basierend auf Geschichte der deutschen Post, Bd. 1. Geschichte der preußischen Post. Nach amtlichen Quellen bearbeitet von Heinrich von Stephan. Neubearbeitet und fortgeführt bis 1868 von Karl Sautter, Berlin 1928, S. 544 und 716; Geschichte der deutschen Post, Bd. 2. Geschichte der Norddeutschen Bundespost (1868–1871), hrsg. u. bearb. v. Karl Sautter, Berlin 1935, S. 59; Geschichte der deutschen Post, Bd. 3. Geschichte der Deutschen Reichspost (1871–1945), hrsg. u. bearb. v. Karl Sautter, Frankfurt/Main 1951, S. 593–603; Zahlen für Frankreich: Dauphin et al., S. 39. Übrige Zahlen nach verschiedenen Ausgaben der Times (London); Recherche: Jürgen Herres, Berlin, dem für die Überlassung herzlich gedankt sei.

Menschen die Teilnahme an der schriftlich vermittelten Kommunikation, sei es als Zeitungsleser oder als Briefschreiber und -empfänger. Einige Zahlen zeigen, wie rasant die Briefkommunikation im 19. Jahrhundert zunahm. Sie belegen zugleich ein starkes West-Ost-Gefälle in der Briefkommunikation sowohl innerhalb des deutschen Sprachraums als auch im europäischen Vergleich. Genaue Untersuchungen auf der Basis der französischen Postenquêten zeigen in Frankreich ein deutliches Nord-Süd-Gefälle und einen engen Zusammenhang zwischen dem Alphabetisierungsgrad und der Zahl der pro Kopf versandten Briefe.

Während das Diagramm und die Statistiken nur Auskunft über die offiziell, mit staatlichen oder privaten „Posten" versandten Briefe geben, war der tatsächliche Briefverkehr erheblich umfangreicher, da aus Kostengründen sehr viele Briefe persönlich überbracht, Freunden oder Reisenden mitgegeben wurden, deren Zahl sich nicht einmal schätzen lässt. Die sehr unsicheren und punktuellen Angaben weisen auf ein weiteres Desiderat der Briefforschung hin: Quantitative Untersuchungen zum Postverkehr fehlen weitgehend. Die wenigen verfügbaren und halbwegs verlässlichen Zahlen zeigen den Rückstand des deutschen Sprachraums in der Briefkommunikation im Vergleich zu Staaten mit modernen Postsystemen wie Großbritannien und der Schweiz, aber zugleich den Vorsprung der deutschen Staaten vor Süd- und Osteuropa, z. B. Italien oder Russland, aber auch vor Frankreich. Auch für Deutschland wären regional differenzierende Zahlen wünschenswert, da wie in Frankreich die Unterschiede zwischen Stadt und Land sowie unter den Einzelstaaten erheblich gewesen sein dürften. Es ist sicher kein Zufall, dass das Briefaufkommen pro Kopf in den europäischen Staaten, die über die größte Meinungsfreiheit verfügten, am umfangreichsten war: in Großbritannien und der Schweiz.

Zwar konnte im 19. Jahrhundert jeder und jede Briefe verschicken, ein flächendeckender Postservice war zumindest in ganz Mitteleuropa gewährleistet. Aber Briefe zu versenden war teuer:

Das Porto für einen Brief kostete bis 1850 etwa so viel, wie ein Tagelöhner am Tag verdiente, auf heutige Einkommensverhältnisse und Lebenshaltungskosten umgerechnet also 30–40 €. In Frankreich war das Porto bis 1850 nach Entfernung gestaffelt, der billigste Brief (bis 20 km) kostete 20 Centimes; ein Brief von Paris nach Marseille 2,20 Francs – ein Tagelöhner verdiente zwischen 0,75 und 1,50 Francs täglich.[65] Um diese Kosten zu umgehen, wurden viele Briefe nicht offiziell mit der Post versandt, sondern Freunden oder Reisenden mitgegeben. Die hohen Versandkosten erklären auch, warum Briefe so wertvoll waren und in der Familie oder im Freundeskreis vorgelesen oder weitergegeben wurden.

In Zeiten der Zensur, die im 19. Jahrhundert in fast ganz Europa galt, waren Briefe die einzige weitgehend unzensierte Form der Kommunikation über größere Entfernungen hinweg. Zumindest auf dem Papier gab es in allen deutschen Staaten seit dem 18. Jahrhundert das Briefgeheimnis, das es den Postboten bei empfindlichen Strafen verbot, Briefe zu öffnen.[66] Wer sich im Fadenkreuz der politischen Polizei befand, musste freilich damit rechnen, dass seine Briefe mitgelesen und unter Umständen unterschlagen wurden. Arnold Ruge, den die preußische politische Polizei für einen der

---

[65] *Dauphin* (s. Fn. 63), S. 39; *Steinhausen* (s. Fn. 15), Bd. 2, S. 337.

[66] Gleichwohl finden sich Klagen über die Unzuverlässigkeit der Post in vielen Briefen. Vgl. *Baasner* (s. Fn. 3), S. 8 f.

*Tabelle 2: Briefversand pro Kopf
in verschiedenen Ländern und Jahren.*

Ausgewählt wurden nur Jahre, aus denen Zahlen vorliegen.
Seit 1868 liegen für den Norddeutschen Bund bzw. das Deutsche Reich jährliche Zahlen vor. Hier wurden die Jahre ausgewählt, für die Vergleichszahlen aus anderen Ländern gefunden werden konnten.

Jahr	Preußen	Groß-britannien	Frank-reich	Österreich (Cisleithanien)	Schweiz	Russ-land
1821			1,7			
1829			2,0			
1839		3,0				
1842	2,3					
1846	3,0		3,2			
1847			3,6			
1850	3,8				7,0	
1854		14,0				
1855	5,7					
1860	7,4	19,0	6,0			
1864		22,0				
1865	9,8					
1866		24,0				
	Norddeutscher Bund					
1868	9,1	26,0				
1870	10,9					
	Deutsches Reich					
1874	13,9	30,0	9,4			
1875	14,6	34,5	10,2	10,6	27,3	
1879	17,1		13,9	10,4		1,0
1882	20,1	36,0	16,0			

Jahr	Preußen	Groß-britannien	Frank-reich	Österreich (Cisleitha-nien)	Schweiz	Russ-land
1884	22,7	37,0				
1891	33,9		19,0			
1892	35,4	53,0				1,6
1899	47,7	55,3				
1905	70,0	75,0				
1913	101,9		35,0			

Quellen: Zahlen für Großbritannien 1839–1848: The Times. London, 1.2.1849, S. 6; Preußen, Norddeutscher Bund und Deutsches Reich: eigene Berechnung basierend auf Geschichte der deutschen Post, Bd. 1. Geschichte der preußischen Post. Nach amtlichen Quellen bearbeitet von Heinrich von Stephan. Neubearbeitet und fortgeführt bis 1868 von Karl Sautter, Berlin 1928, S. 544 und 716; Geschichte der deutschen Post, Bd. 2. Geschichte der Norddeutschen Bundespost (1868–1871), hrsg. u. bearb. v. Karl Sautter, Berlin 1935, S. 59; Geschichte der deutschen Post, Bd. 3. Geschichte der Deutschen Reichspost (1871–1945), hrsg. u. bearb. v. Karl Sautter, Frankfurt/Main 1951, S. 593–603, sowie Andreas Kunz (Hg.): Zeitreihen zur raumbezogenen Statistik der Bevölkerung in Deutschland 1815–1914, bearb. v. Monika Krompiec, Mainz 2008; Zahlen für Frankreich: Dauphin et al., S. 39. Übrige Zahlen nach verschiedenen Ausgaben der Times (London); Recherche: Jürgen Herres, Berlin, dem für die Überlassung herzlich gedankt sei.

gefährlichsten europäischen Revolutionäre hielt, stahl ein preußischer Agent Briefe, die deshalb heute in den Akten des Berliner Polizeipräsidenten liegen.[67]

---

[67] Vgl. die Überwachungsakte der politischen Polizei, in: Landesarchiv Berlin A, Pr. Br. Rep. 30 Berlin C, Nr. 12158, Bl. 138; *Jansen*: Nach der Revolution (s. Fn. 2), S. 245.

Abb. 6: Joseph Hauber: Familie Scheichenpflueg,
1811, Städtische Galerie im Lenbachhaus
und Kunstbau München.

Jodokus Temme, der höchste preußische Richter,
der sich 1848 der Revolution angeschlossen hatte,
vermutete noch 1857, im Zürcher Exil, von seinen
Briefen – „sowohl die ich schreibe, als die an mich
gerichtet sind, geht wahrscheinlich mehr als die
Hälfte verloren. Der Grund ist leicht zu errathen,
seitdem man neulich, ohne Hehl vor der Welt, in
einem Ministerium darüber verhandeln durfte, ob
nicht jeder Polizeibehörde das Recht einzuräumen
ist, Briefe auf der Post mit Beschlag zu belegen,
und als Grund für eine solche Maßregel angab, den
Staatsanwälten stehe eine solche Befugniß bereits
zu, allein es gebe nicht überall, wo Postexpeditio-
nen seien, auch Staatsanwaltschaften, wohl aber

eine Polizeibehörde.[68] Nach solchen Vorgängen
steht uns dann bald die Thatsache in Aussicht, daß
der Polizeibeamte jeden Morgen & jeden Abend
sich von | der Post die sämmtlichen Briefe zubrin-
gen läßt, um zu bestimmen, was er davon
zurück<schicken> will, <und was er> will <ausge-
ben> oder abgehen lassen. Eine Menge Briefe von
meinen Verwandten und Freunden an mich und
meine Kinder sind, wie wir zu großem Verdrusse
und Verlegenheit haben später <einsehen> müssen,
schon seit langer Zeit nicht mehr übergekommen,
<eben>so nicht Briefe von mir an sie. Seitdem ich
in der Schweiz bin, ist das gar arg geworden."[69]

Die Absender nummerierten ihre Briefe durch,
um zu wissen, wann welche verloren gingen, wie
es am Ende des 18. Jahrhunderts bereits üblich
gewesen war, bevor die Post so zuverlässig war,
dass die Kontrolle durch Nummerierung nicht
mehr nötig erschien. Politisch Aktive bedienten
sich der Nummerierung wieder, um das Abfangen

---

[68] Temme bezieht sich hier auf einen Aufsatz des
berüchtigten Polizeidirektors Wilhelm Stieber „Sind
auch die Polizeibehörden oder nur die Staatsanwaltschaften befugt, Briefe auf der Post mit Beschlag zu
belegen?" in: Archiv für preußisches Polizeirecht 3
(1855), S. 86–90. Vgl. Die Polizeikonferenzen deutscher
Staaten 1851–1866. Präliminardokumente, Protokolle
und Anlagen. Eingeleitet und bearb. von Friedrich Beck
und Walter Schmidt, Weimar 1993, S. 154 und 201.

[69] Jodokus Temme an Carl J. A. Mittermaier, Zürich,
10.5.1857, in: *Jansen*: Nach der Revolution (s. Fn. 2),
S. 434; *Steinhausen* (s. Fn. 15), Bd. 2, S. 335 f. Die spit-
zen Klammern zeigen unsichere Lesarten an.

von Briefen durch Polizei und Zensur beweisen bzw. kontrollieren zu können.

Die in der Reaktionszeit zur Koordination der einzelstaatlichen politischen Polizeien eingerichtete „Polizeikonferenz deutscher Staaten" beriet mehrfach über die Beschlagnahme von Briefen durch die damals noch private Post.[70] Der berüchtigte Berliner Polizeidirektor Wilhelm Stieber (der die „Beweise" im Kölner Kommunistenprozess gefälscht hatte) reflektierte in einer juristischen Fachzeitschrift die Frage „Sind auch die Polizeibehörden oder nur die Staatsanwaltschaften befugt, Briefe auf der Post mit Beschlag zu belegen?"[71] Für Österreich ist die Überwachungspraxis genauer erforscht. Der Chef der Obersten Polizeibehörde Johann Kempen von Fichtenstamm reorganisierte seit 1853 die Briefüberwachung als „Sektion für Chiffrewesen und translatorische Arbeiten". In allen Städten wurden „Postlogen" eingerichtet, die Briefe von politisch Verdächtigen öffneten und gegebenenfalls in Abschrift an ein „Zentral-Manipulationsbüro" sandten.[72]

Trotz dieser erheblichen Anstrengungen der Polizei in der Reaktionsperiode fanden die meisten Oppositionellen offenbar Methoden, die Kontrolle zu umgehen – durch Decknamen, falsche Adressen usw. Nicht selten wurde als Empfänger ein Mittelsmann eingesetzt, der in Zeiten verstärkter Überwachung oppositioneller Kräfte als poli-

---

[70] Polizeikonferenzen (s. Fn. 68), S. 154 und 201.
[71] *Stieber* (s. Fn. 68).
[72] *Herzog/Pensold* (s. Fn. 64), S. 10 f.

70

tisch unverfänglich galt. Der Abgeordnete Leopold von Hoverbeck, einer der Köpfe der Fortschrittspartei im preußischen Abgeordnetenhaus während des Verfassungskonflikts, sandte seine Briefe an die Wahlmänner in seinem Wahlkreis zunächst an einen von der Regierung für politisch unbedenklich gehaltenen Kreisgerichtsdirektor, der eine Abschrift erstellte. Diese und das Original wurden wiederum an weitere Wahlmänner geschickt.[73] Nach dem Tod des Dänischen Königs im November 1863 bat der Kieler Universitätsprofessor Karl Himly seinen Schwager, den Fortschrittspolitiker Werner Siemens, in Berlin darum, Mitteilungen doch bitte an den Bierbrauer Arp am Walkerdamm zu adressieren, da er selbst „politisch anrüchig" und „der Post nicht zu trauen" sei.[74] Die politischen Briefe des 19. Jahrhundert sind voll von Hinweisen, wie man der Kontrolle entgehen könnte, ganz zu schweigen von kryptischen Formulierungen und gelegentlich auch Verschlüsselungen des Textes.

2. Akteure

Aus den erwähnten hohen Portokosten ergab sich auch, dass der mit der Post versandte Brief

---

[73] *Ludolf Parisius*: Leopold Freiherr von Hoverbeck. Ein Beitrag zur vaterländischen Geschichte, 3 Bände, Berlin 1897–1900, hier Bd. 2/1, Berlin 1898, S. 4.

[74] Karl Himly an Werner Siemens, Kiel, 22.11.1863, in: *Moritz Liepmann* (Hg.): Von Kieler Professoren. Briefe aus drei Jahrhunderten zur Geschichte der Universität Kiel, Stuttgart/Berlin 1916, S. 318.

fast ausschließlich ein Medium der materiell besser Gestellten und derjenigen war, die zu kostenlosen Postdiensten Zugang hatten. Denn nur Privatpersonen und -unternehmen mussten Porto bezahlen. Behörden und ebenso alle Mitglieder herrschender Fürstenhäuser waren vom Porto befreit. Dies galt in der Regel für den Postverkehr in *beide* Richtungen, also nicht nur für ihre Briefe, sondern auch für Sendungen an sie. Vor der Erfindung der Briefmarke zahlte ansonsten generell der Empfänger das Porto. Insofern ist die exorbitante Zahl der Briefe Goethes auch damit zu erklären, dass er Zugang zum kostenlosen Briefversand der sächsisch-weimarischen Regierung hatte.

Neben vielen anderen Faktoren gehört auch die Höhe des Portos zu den Gründen, warum aus den sozialen Unterschichten kaum Briefe überliefert sind. Die wenigen Ausnahmen betreffen persönlich überbrachte Eingaben, Gesuche oder Petitionen.[75] Auch die prekären Schichten des Bürgertums, zu denen ja nicht zuletzt viele Intellektuelle gehörten, sind unter den überlieferten Briefen des 19. Jahrhunderts deutlich unterrepräsentiert. Unter den Briefschreibern (häufig auch -schreiberinnen) dominieren verbeamtete Bildungsbürger, wirtschaftlich erfolgreiche Bourgeois und wohlhabende Adlige und deren Familienangehörige. Eine wesentliche

---

[75] Vgl. *Thomas Sokoll*: Selbstverständliche Armut. Armenbriefe in England, 1750–1850, in: Winfried Schulze (Hg.): Ego-Dokumente. Annäherungen an den Menschen in der Geschichte, Berlin 1996, S. 227–271, sowie dessen vorzügliche Edition „Essex Pauper Letters 1731–1837" (Oxford 2001).

Ermäßigung des Briefportos trat im Bereich des Deutschen Bundes erst seit 1850 mit der Schaffung eines einheitlichen Postraumes im Deutsch-Österreichischen Postverein ein. Es ist eine Ironie der Geschichte, dass die konservativen deutschen Großmächte damit nach dem Scheitern der bürgerlichen Revolution, in der neoabsolutistischen Reaktionsepoche, die weitgehend unzensierte Kommunikation ihrer Bürger förderten und es ihnen auch erleichterten, Kontakt zu politischen Emigranten zu halten, obwohl es doch eigentlich zu ihren politischen Hauptzielen gehörte, die Nationsbildung und Fundamentalpolitisierung zu stoppen, die in den Revolutionen von 1848/49 einen großen Schub bekommen hatten. Parallel zur Wiederherstellung des Deutschen Bundes und zur Schaffung politischer Friedhofsruhe durch den „Bundesreaktionsbeschluss" vom August 1851, der die von der Nationalversammlung 1848 beschlossenen „Grundrechte der Deutschen" aufhob, entstanden Rahmenbedingungen für die politische Kommunikation mit Briefen, die (unintendiert) zu den entscheidenden Voraussetzungen für das relativ schnelle Ende der Reaktionsperiode gehören.[76]

Als Faustregel für die Zeit zwischen 1850 und 1870 kann man sich merken, dass pro Lot (ca. 15 Gramm) Briefgewicht ein Silbergroschen an Porto zu zahlen war, also etwa so viel wie für ein Pfund

---

[76] Zum Hintergrund vgl. etwa *Christian Jansen*: Einheit, Macht und Freiheit. Die Paulskirchenlinke und die deutsche Politik in der nachrevolutionären Epoche (1849–1867), Düsseldorf, 2. Aufl. 2004, S. 319–321.

Mehl oder 150 Gramm Kaffee. In Österreich-Ungarn wurde 1868 im Rahmen der allgemeinen staatlichen Reorganisation nach der Niederlage von 1867 das Briefporto auf 5 Kreuzer unabhängig von der Entfernung gesenkt, was zu einer sprunghaften Zunahme der Briefkommunikation führte, obwohl das Porto damit immer noch deutlich teurer war als in den übrigen deutschen Staaten (denn ein Silbergroschen entsprach etwa drei Kreuzern).[77] Nach der Reichsgründung galt bei der Reichspost ein Porto von 10 Pfennig für Briefe bis 15 Gramm, für schwerere Briefe war das Doppelte zu zahlen. Nimmt man die Lebenshaltungskosten zum Maßstab[78], so kann man das Briefporto der 1850er und 1860er Jahre, das einen Silbergroschen betrug, auf etwa drei Euro umrechnen. Also war es zwar deutlich teurer als heute, Briefe zu verschicken, aber nicht mehr für die meisten Menschen unerschwinglich wie in der ersten Hälfte des 19. Jahrhunderts.

---

77 *Herzog/Pensold* (s. Fn. 64), S. 16.

78 Mir liegen nur einzelne Zahlen vor: Die Lebenshaltungskosten eines 5-Personen-Haushaltes beliefen sich 1850 ohne Wohnung auf etwa 3½ Taler, also 105 Silbergroschen; als Existenzminimum für eine Person in Süddeutschland rechnete man pro Monat einschl. Wohnung ca. 15 Gulden, umgerechnet also 300 Silbergroschen (Schulgeld kostete 1850 4 Silbergroschen, 1 Pfund Butter 6 Silbergroschen). (1 Taler = 30 Silbergroschen = 360 Pfennige; 2 Taler = 3 österreichische Gulden; 2 Taler = 3½ süddeutsche Gulden; 1 Gulden = 60 Kreuzer = 240 Pfennige).

3. Inhalt und Form

Verschiedene historische Entwicklungen, die mit dem Umbruch zur Moderne in den europäischen Gesellschaften seit der zweiten Hälfte des 18. Jahrhunderts verbunden sind[79], veränderten auch Inhalt und Form der (bürgerlichen) Briefkommunikation und bildeten wesentliche Voraussetzungen für deren Blüte: Hierzu gehörten die zunehmende Selbsterforschung und ein „Bekenntnisdrang" im Kontext pietistischer Religiosität und allgemein eine Neigung im Bürgertum, das eigene Ich, subjektive Empfindungen und Reflexionen ernst zu nehmen, verbunden mit dem wachsenden ökonomischen und gesellschaftlichen Einfluss des Bürgertums. Einen Brief zu schreiben, erfordert Selbstreflexion, ist also immer ein Selbstfindungsprozess. Gedanken zu Papier zu bringen, bedeutet, sich ihrer bewusster zu werden. Der Brief*wechsel* verstärkt diesen Selbstreflexions- und Selbstfindungsprozess. Durch den dialogischen Austausch schriftlich fixierter Gedanken kristallisiert sich idealerweise die eigene Position klarer heraus.

Ein spezifischer Beitrag deutscher Intellektueller war der Freundschaftskult in der zweiten Hälfte des 18. Jahrhunderts. So veränderten sich seit etwa 1750 jahrhundertealte, starre Regeln für das Schreiben von Briefen. An ihre Stelle trat die moderne Konvention, dass Briefe ein zeitverzögertes Ge-

---

[79] Vgl. als Hintergrund: *Christof Dipper*: Die historische Schwelle um 1800. Eine Skizze. In: Geschichte in Wissenschaft und Unterricht 64 (2013), S. 600–611.

spräch auf Distanz seien. Fortan gewannen die Regel „Schreibe, wie du redest" und das Leitbild unverstellter Subjektivität, Ehrlichkeit und Authentizität an Bedeutung.[80]

Mit der amerikanischen und der französischen Revolution kamen neue politische Themen auf die Tagesordnung, unter anderem Menschenrechte, Demokratisierung, Nationalismus, die soziale Frage oder Frauenemanzipation. Aufgrund dieser Tendenzen war das 19. Jahrhundert das Jahrhundert des politischen Briefs. Bereits im 18. Jahrhundert waren Briefe „konstitutiv für die kritische Öffentlichkeit", indem sie nicht nur in der Familie, sondern auch in Clubs und Lesegesellschaften vorgelesen, an Bekannte oder Gesinnungsgenossen weitergereicht, bisweilen auch auszugsweise in Zeitungen und Zeitschriften abgedruckt wurden.[81] Diese spezifische, privat-öffentliche Mischfunktion von Briefen führte unter anderem zu der Gewohnheit, private Nachrichten, Grüße, Klatsch und Tratsch in den untersten Abschnitt eines Briefbogens zu schreiben, damit man sie vor der Weitergabe abtrennen konnte, ohne den öffentlichen Teil des Briefs zu beschädigen. Häufig wurde auch ein loses Einzelblatt in den gefalteten Briefbogen eingelegt, um die privaten Anteile zu transportieren. In den Archiven finden sich viele Briefe mit unregelmäßigem, von Hand beschnittenen unteren Rand.

---

[80] Vgl. *Nickisch* (s. Fn. 61), S. 44 f. und 51.
[81] *Baasner* (s. Fn. 3), S. 5.

Im 19. Jahrhundert blieb diese öffentliche Funktion ursprünglich privater Korrespondenz erhalten und trug zur Verbreitung der neuen politischen Ideen maßgeblich bei. Nimmt man seine quantitative und qualitative Bedeutung zusammen, so hat nie zuvor und nie danach der Brief als Medium politischer Kommunikation eine derart zentrale Rolle gespielt wie zwischen den bürgerlichen Revolutionen und der Zugänglichkeit des Telefons für jedermann. Das Jahrhundert des politischen Briefs ist nach dieser Definition ein sehr langes Jahrhundert und dauerte von ca. 1780 bis ca. 1920.

In der bürgerlichen Briefkommunikation wurde die Frauenemanzipation insofern sehr früh vollzogen, als Briefe seit Gellert und Klopstock, also seit der Mitte des 18. Jahrhunderts als spezifische Ausdrucksform von Frauen galten, da nur sie über die dem Brief angemessene Natürlichkeit verfügen würden. Luise Gottsched, Meta Klopstock, Anna Luise Karsch und Sophie Laroche galten als Meisterinnen des Briefe-Schreibens. Bei diesen Zuschreibungen durch die kulturell tonangebenden Männer liegt neben dem emanzipatorischen der eingrenzende Aspekt auf der Hand: Frauen wurden auf den intimen, privaten, also nicht öffentlichen Bereich der brieflichen Kommunikation festgelegt und blieben damit vom öffentlichen, literarisch-politischen, männlich-bürgerlichen Diskurs ausgeschlossen. Entsprechend dominierten im politischen Brief immer die Männer, da sie bis weit ins 20. Jahrhundert hinein aufgrund rechtlicher und gesellschaftlicher Restriktionen die einzigen voll berechtigten politischen Akteure waren.

Auf zahlreichen Gebieten ist das 19. Jahrhundert die Zeit, in der sich bürgerliche Werte und Normen durchgesetzt haben. In diesem Kontext und wegen der immer besseren Organisation des Postverkehrs bildete sich eine *Briefetikette* heraus. Rainer Baasner spricht von „offenbar zwingenden Parametern des Briefschreibens" und einer „bis ins Detail entwickelten Konventionalisierung" der Korrespondenzen in der Zeit zwischen 1830 und 1900. Dies zeigt sich zwar in den untersuchten Briefwechseln der politischen Opposition seit 1848 nicht so deutlich. Aber Komponenten der Briefetikette lassen sich auch in politischen Briefen finden. Die von Baasner idealtypisch charakterisierte Etikette betrifft vor allem drei Komponenten: die äußere Form, die Anrede- und Grußformeln sowie den Korrespondenzrhythmus.

Während die Papierqualität an Bedeutung verlor, da sich im Rahmen bürgerlicher Sparsamkeitsnormen einfaches Schreibpapier durchsetzte, übermittelte die Größe des Bogens bereits Informationen über den Brief, ohne dass ein Wort geschrieben war: Einerseits wirkten ständische Normen fort, denen zufolge die Bögen umso größer waren, je höher eine Person in der gesellschaftlichen Hierarchie stand, die schrieb oder an die sich ein Brief richtete. Im Verkehr unter Gleichen zeigte andererseits der gewählte Bogen, wie viel man zu schreiben beabsichtigte. Denn zu den Konventionen des 19. Jahrhunderts gehörte auch, dass ein Bogen auf beiden Seiten zu füllen war.

Was die Anrede- und Grußformeln anbelangt, so gab es wiederum einerseits strenge Normen, wie an Fürsten oder Behörden zu schreiben war, andererseits ein abgestuftes Set an Floskeln für die Korrespondenz innerhalb des Bürgertums und unter Freunden. Erhielt man einen Brief, so bestand die Verpflichtung, innerhalb weniger Tage zu antworten, es sei denn, man fand den Schreiber nicht korrespondenzwürdig. Die Antwort verpflichtete zu einem weiteren Brief und so fort. Baasner konstatiert, dass ein großer Teil der Briefe des 19. Jahrhunderts aus solchen Verpflichtungen hervorgehe.[82] Es ließen sich allerdings mühelos Gegenbeispiele zu dieser These nennen. Nicht alle Briefwechsel verliefen mit der Regelmäßigkeit, die sich aus der Konvention, unverzüglich zu antworten, ergeben hätte. Aber in der Tat beginnen fast alle Briefe des 19. Jahrhunderts mit Ausführungen, die sich auf die Etikette beziehen: welchen Brief man wann erhalten, warum man nicht eher geantwortet habe usw.

Folgendes Beispiel zeigt, wie selbst in freundschaftlichen Briefwechseln, die die am wenigsten konventionelle Form darstellten, Konventionen eine Rolle spielten – und sei es nur in Gestalt eines ironischen Spiels mit den Konventionen: „Für ein enfant perdu [verlorenen Sohn] der Correspondenz ist dieses <Gespinst> [dieser Brief] schon wieder zu lang. Ich sehne mich zu hören, daß Du in die Schranken einer geregelten Brief-Ordnung zurückkehrst & durch baldiges Lebenszeichen verräthst, daß Du mehr von uns zu hören verlangst. Dann dürfen wir Dich auch ohne Selbst-

---

[82] *Baasner* (s. Fn. 3), S. 13 und 16–24.

erniedrigung wieder lieb haben & Dir mehr erzäh-
len wie es uns geht & lebt & webt. Adieu Verlust!
D.L.“[83]

Der ganze Bereich der Etikette und der Konventionen rund ums Korrespondieren ist kaum erforscht. Deren mögliche Bedeutung zu entschlüs-
seln, ist ein Desiderat künftiger kulturgeschicht-
licher Forschung. Jedenfalls ist es eine Unsitte, in
Editionen aus Platzgründen und Ignoranz die
Gruß- und Schlussfloskeln nicht aufzunehmen!

Die Germanistin und Herausgeberin des Rahel
Varnhagen-Briefwechsels, Barbara Hahn, hat pos-
tuliert, dass viele Briefe des ausgehenden 18. und
des 19. Jahrhunderts zur Textsorte „Theorie“ gehören. Das trifft vor allem auf Frauen zu, für die
in der Zeit, als sie nicht studieren und nicht einmal
das Gymnasium besuchen durften, Briefe die einzige Möglichkeit boten, sich konzeptionell oder
theoretisch zu äußern. Rahel Varnhagens Briefe
etwa entwarfen große philosophische und politische Gedanken, die zuvor noch niemand „gelesen“
hatte. So schrieb sie einmal über einen ihrer Briefe, er wäre unter günstigeren Umständen „mein
größtes Werk geworden“.[84] Meine Arbeit mit und
Edition von politischen Briefen der Achtundvier-
ziger in der nachrevolutionären Epoche bestätigen
diese These. Politische Briefnetzwerke, in die

---

[83] Ludwig Bamberger an Moritz Hartmann, Paris,
22. Oktober 1859, in: *Jansen*, Nach der Revolution
(s. Fn. 2), S. 585.

[84] *Barbara Hahn*: „Antworten Sie mir!“ Rahel Levin
Varnhagens Briefwechsel, Frankfurt/M. 1990, S. 169.

auch emigrierte Gesinnungsgenossen einbezogen werden konnten, bildeten gewissermaßen virtuelle Versammlungen, in denen konzeptionelle, theoretische und programmatische Fragen ausführlich debattiert wurden. Ähnliches gilt für die Anfänge der Arbeiterbewegung. Wie Frauen hatten Arbeiter im 19. Jahrhundert keinen Zugang zu den Diskussionsforen und dem Diskursraum, in dem theoretische Auseinandersetzungen geführt wurden.

Abgesehen von technischen und organisatorischen Verbesserungen werden die Veränderungen der Briefkultur von den Experten aus der Germanistik als Funktionswandel beschrieben. Neben dem oben erwähnten Wechsel hin zu einer Konventionalisierung des Briefschreibens, den Baasner am Ende der Goethezeit um 1830 festgestellt hat, weist Reinhard M. G. Nickisch auf zwei Tendenzen hin, die im Vormärz entstanden, sich aber erst nach den Revolutionen von 1848/49 durchsetzten: „einesteils kritisch-wissenschaftliche Versachlichung – andernteils Politisierung".[85] Dieser Funktionswandel entspricht den Veränderungen des Zeitgeistes und der politisch-kulturellen Diskurse, die auch die historische Forschung beobachtet. Nickisch macht seit dem Vormärz einerseits einen „Aufschwung der philosophisch-historischen Wissenschaften wie bald auch der Naturwissenschaften" aus, der zu einer Hochkonjunktur „gelehrter Briefwechsel" und damit nach Gefühlsemphase

---

[85] *Nickisch* (s. Fn. 61), S. 56 f. Hingegen konstatiert *Baasner* (s. Fn. 3), S. 6, seit 1830 eine Entpolitisierung der Briefkultur.

und Freundschaftskult zu einer Versachlichung der Sprache und Inhalte geführt habe. Die großen Briefnachlässe von Gelehrten wie dem Historiker Georg Gottfried Gervinus, dem Juristen Carl Joseph Anton Mittermaier, den Germanisten Jacob und Wilhelm Grimm, dem Juristen Friedrich Carl von Savigny usw. bestätigen diesen Befund.

Hinzu kommt, dass die Institutionalisierung der Wissenschaft in den reorganisierten Universitäten wie auch der Geniekult, der um bürgerliche Meisterdenker getrieben wurde, dazu beigetragen haben, dass die Briefwechsel von Gelehrten aus dem 19. Jahrhundert besser überliefert sind als aus früheren Jahrhunderten.

Die andere, neue Tendenz, die Politisierung, war Teil der deutschen Nationsbildung und der Fundamentalpolitisierung, die durch die Revolutionen von 1848/49 den entscheidenden Schub bekam. Vorreiter dieser Politisierung des Briefe-Schreibens waren Ludwig Börne, Heinrich Heine und Karl Gutzkow. „Bei ihnen war der Privatbrief zwar wie gewohnt an einen einzelnen Partner, gleichzeitig jedoch an die Zeit und die Öffentlichkeit gerichtet."[86] Entsprechend publizierten die großen Zeitungen in ihren Feuilletons seit 1830 zunehmend Korrespondenzen prominenter Politiker, Intellektueller und Literaten. „Offene Briefe" kamen in Mode, vielfach wurden Feuilletons oder politische Kommentare in die Form fiktiver Briefe gekleidet.[87] Insbesondere die Wende zur „Realpoli-

---

[86] *Nickisch* (s. Fn. 61), S. 57.

tik", die Popularisierung der Naturwissenschaften und – als Folge beider Tendenzen – der Eingang naturwissenschaftlicher Paradigmen in das politische Denken und die politische Sprache wurden durch regelmäßige, als „Briefe" bezeichnete Kolumnen führender Gelehrter in den Feuilletons der großen Zeitungen wesentlich gefördert.[88]

---

[87] Vgl. ebd., S. 59, sowie als Beispiele, die sich leicht vermehren ließen: *Julius Fröbel*: Die Bildung und die Revolution, in: Beobachter. Stuttgart, 7.11.1849; *Franz Raveaux*: Brief eines deutschen Demokraten über französische Zustände, Deutsche Monatsschrift 2 (1851) I. Quartal, S. 92–108; *Ludwig Simon*: Brief aus Lausanne, in: Trier'sche Zeitung, 16.1.1851, und in: Blätter der Zeit, Braunschweig, 31.1.-5.2.1851; *Georg Friedrich Kolb*: Ein deutsches Land (Brief aus Rheinbayern), in: Das Jahrhundert (1856), S. 229–232; *Ludwig Bamberger*: Des Michael Pro Schriftenwechsel mit Thomas Contra aus dem Jahre 1859, in: Demokratische Studien 1 (1860), S. 147–202; *Moritz Hartmann*: Ein Brief aus Italien an den Verfasser des „Juchhe nach Italia!", ebd., 231–288.

[88] Zum Beispiel *Johann Heinrich Mädler*: Astronomische Briefe, zunächst 1846 in der Augsburger Allgemeinen Zeitung erschienen, dann auch als Buch (Mitau 1846); *Rudolph Wagner*: Physiologische Briefe, ursprünglich in der Augsburger Allgemeinen Zeitung vom 21.9.1851 bis 1.7.1852 erschienen, Neuaufl., ediert von Norbert Klatt: Göttingen 1997; *Carl Vogt*: Physiologische Briefe für Gebildete aller Stände, Gießen, 2. Aufl. 1854; *Justus v. Liebig*: Chemische Briefe, Leipzig 1858 (6. Aufl. 1878 unter http://www.liebig-museum.de/ch_briefe/Liebig_Chemische_Briefe.pdf). Zur allgemeinen Beliebtheit der Briefform vgl. etwa auch ein zeitgenössischer Geburtsratgeber „Briefe an eine Mutter. Ein Buch für junge Frauen" (1854). Zum Hintergrund: *Christian Jansen*: „Revolution" – „Realismus" – „Real-

Wegen der Kleinstaaterei war für die deutschen Intellektuellen und die politische Opposition seit dem 18. Jahrhundert briefliche Kommunikation wichtiger als in zentralistischen Staaten, wo diese persönlich, in der Hauptstadt stattfand. Der Austausch und die politische und kulturelle Vernetzung zwischen den verschiedenen Zentren lief in „Deutschland" (neben Reisen) im Wesentlichen über Briefe. So spielten Briefnetzwerke auch bei der Nationsbildung eine wichtige Rolle, vor allem in der frühen Phase bis 1848, als der Nationalismus und insbesondere die Idee, dass der Nationalstaat die besten Rahmenbedingungen für ein freies, einiges und mächtiges Deutschland biete, noch allein von Teilen der intellektuellen Elite getragen wurde. In der nachrevolutionären Epoche, als alle nationalistischen Organisationen und Publikationen bis Ende der 1850er Jahre unterdrückt waren, wurden erneut vornehmlich in Briefen die Erfahrungen im „tollen Jahr" 1848/49 verarbeitet und die Konsequenzen aus der Niederlage der Einigungsbewegung gezogen. Auch in der Zeit des organisierten Nationalismus spielten Briefnetzwerke, etwa das der führenden Männer im Nationalverein, eine politisch bedeutende Rolle, die noch kaum erforscht ist.[89]

---

politik". Der nachrevolutionäre Paradigmawechsel in den 1850er Jahren im deutschen oppositionellen Diskurs und sein historischer Kontext, in: Kurt Bayertz u.a. (Hg.): Weltanschauung, Philosophie und Naturwissenschaft im 19. Jahrhundert, Bd. 1: Der Materialismusstreit, Hamburg 2007, S. 223–259.

Auch wenn Briefe oft als eine Form des Gesprächs bezeichnet werden, so besteht doch ein entscheidender Unterschied: Briefe sind auch nach dem Lesen materiell vorhanden. Mit Niederschrift, Versendung und Lektüre sei ihr Schicksal „noch nicht vollendet", schreibt Baasner und weist dann auf eine „sekundäre Briefkultur" hin, die ein weiteres Charakteristikum des 19. Jahrhunderts war: das Sammeln von Briefen, ihre Überlieferung an die Nachwelt und das Edieren. Allerdings waren die Kriterien hierfür durchaus andere, als sie heutigen wissenschaftlichen Editionen zugrunde liegen. Meist waren es hagiografische Motive oder die Förderung einer bestimmten politischen oder weltanschaulichen Idee. So nannte Rudolf Hübner die Edition der Briefe seines Großvaters Johann Gustav Droysen eine „Bildsäule ohne Reliefs am Sockel".[90] Häufig wurden Briefe auch nicht als dezidierte Editionen publiziert, sondern im Rahmen von Biografien,[91] als Anhänge zu Monogra-

---

[89] Vgl. zur Geschichte des deutschen Nationalismus und den genannten Forschungsdesideraten *Jansen/Borggräfe* (s. Fn. 16), insb. Kap. 2.

[90] Zit. *Opgenoorth* (s. Fn. 23), S. 153. Klassische Beispiele, die wissenschaftliche Ansprüche erheben, sind etwa die Briefbände der unterschiedlichen Bismarck-Werkausgaben oder der Marx-Engels-Werke. Beide werden gegenwärtig in modernen, kritischen Ausgaben revidiert. Vgl. *Karl Marx/Friedrich Engels*: Gesamtausgabe (MEGA), Abt. 3: Briefwechsel, Berlin seit 1984 (nicht abgeschlossen); *Otto v. Bismarck*: Gesammelte Werke. Neue Friedrichsruher Ausgabe, Paderborn seit 2004.

[91] Vgl. etwa *Oncken* (s. Fn. 46); *Karl E. Hackenberg*: Der rote Becker. Ein deutsches Lebensbild aus

fien, in wenig bekannten regionalhistorischen Zeitschriften oder in Publikationen aus anderen wissenschaftlichen Disziplinen (Literaturwissenschaften, Volkskunde, Sozialwissenschaften usw.).

Für die präzise Interpretation von Briefen ist die Frage nicht unerheblich, ob die meisten Intellektuellen des 19. Jahrhunderts die mögliche Publikation ihrer Korrespondenz und damit deren Wirkung auf die Nachwelt zumindest im Unterbewusstsein mitgedacht haben. Baasner geht davon aus, dass die davon auf das Geschriebene ausgehenden Auswirkungen „eher marginal" seien.[92] Ich würde diesem Faktor ein größere Bedeutung zumessen, zumal die übliche Praxis, Briefe weiterzugeben, ohnehin einer Publikation recht nahe kommt. Außerdem war dem bürgerlichen Brief die Ausrichtung auf eine weitere Öffentlichkeit von Anfang an inhärent. Nicht allein weil politische Briefe die unter den Bedingungen der Zensur nicht mögliche öffentliche Auseinandersetzung simulierten, sondern auch weil die Brieftheorie des 18. Jahrhunderts im Kern – wie Barbara Hahn geschrieben hat – eine „Theorie des Briefedruckens" war. „Gellert legt seinen Lesern gerade nicht das Schreiben an einen Adressaten, sondern an eine literarische Öffentlichkeit ans Herz. Zwar will er ‚wirkliche' Briefe herausgeben, doch diese Wirklichkeit des Briefs ist eine ohne Antwort."[93]

---

dem neunzehnten Jahrhundert. Leipzig 1899; *Hahn* (s. Fn. 83), S. 33–36 und 46–52.

[92] Nach *Baasner* (s. Fn. 3), S. 27–36. Zitat: S. 29.

[93] *Hahn* (s. Fn. 83), S. 216 f.

Dass viele Briefnachlässe vor allem deshalb überliefert sind, weil viele bedeutende Menschen des 19. Jahrhunderts nicht nur die an sie gerichteten Briefe sorgsam aufgehoben haben, sondern auch ihre eigenen am Ende ihres Lebens, etwa um Memoiren zu schreiben, zurück verlangt haben, spricht ebenfalls dafür, dass die Nachwirkung einer Korrespondenz häufig mitgedacht wurde. Die Authentizität des „Ego-Dokumentes" Brief wäre vor diesem Hintergrund anders zu veranschlagen, als wenn man ihn als intime, nur an den Adressaten gerichtete Kommunikation verstehen würde. Noch häufiger sammelten Angehörige nach dem Tod als eine Art Trauerarbeit Briefe eines geschätzten Verstorbenen und bildeten nach dem Vorbild des Adels rudimentäre private Familienarchive in Schachteln und Mappen, die allerdings oft in Vergessenheit gerieten – und das nicht nur bei Prominenten, sondern auch in normalen bürgerlichen Familien!

Bei politischen Gesprächen und Auseinandersetzungen via Brief könnte es allerdings anders sein, da es um existenzielle Anliegen der Briefschreiber ging, so dass die Nachwirkung möglicherweise weniger mitgedacht wurde. Wahrscheinlich haben sich politische Aktivisten je nach Korrespondenzpartner genau überlegt, was sie schrieben, da eine Weitergabe an Dritte mitgedacht werden musste (etwa in der Führung des Nationalvereins). Ein Indikator für diese Annahme ist die Tatsache, dass viele Politiker ihre Korrespondenz vor ihrem Tod vernichtet haben. Um noch einmal das Bild vom politischem Briefnetzwerk als virtuellem Salon aufzugreifen: Es handelte sich ja hier um eine

Werkstatt für unfertige politische Gedanken, Ideen, Theorien oder Vorschläge, von denen man nicht unbedingt wollte, dass eine Nachwelt sie erführe, sondern die man nur im virtuellen Salon, der wie der reale Salon nicht öffentlich zugänglich war, zur Diskussion stellen wollte.

Im 19. Jahrhundert herrschte ein großes Interesse an Briefen hauptsächlich berühmter Persönlichkeiten. Sie waren nicht nur ein beliebtes Objekt von Autographensammlern. Briefe wurden posthum sowie zunehmend auch zu Lebzeiten in Zeitschriften oder Monografien veröffentlicht und erfreuten sich einer breiten Leserschaft. Neben dem populären Interesse an Briefen widmeten sich zunehmend die Sprach-, Literatur- und Geschichtswissenschaft der Quelle Brief. Im Fokus standen dabei hauptsächlich berühmte Literaten und Künstler der Klassik und Romantik, aber auch politisch relevante Persönlichkeiten – zunächst vornehmlich aus dem Hochadel, Militär und der politischen Elite. Im Zeichen des „Kulturkrieges" im Kontext des Ersten Weltkriegs und verstärkt nach der Niederlage von 1918, als an die Stelle des gescheiterten Imperialismus Kulturimperialismus trat, wurden Editionsprojekte in der Weimarer Republik seitens des Staates großzügig gefördert – von den Gesammelten Werken Bismarcks (seit 1924) über die „Deutschen Geschichtsquellen des 19. und 20. Jahrhunderts" (seit 1917) bis hin zu zahlreichen regionalen und lokalen Projekten und vielen, in wissenschaftlichen und populären Zeitschriften publizierten Briefen.

4. Die Bedeutung von Briefen
für die Erforschung des 19. Jahrhunderts

Die zentrale Bedeutung von Briefen und Briefnetzwerken für die politische und kulturelle Diskussion im 18. wie im 19. Jahrhundert ergibt sich schon daraus, dass es damals außer dem Reisen keine Möglichkeit gab, über größere Entfernungen individuell zu kommunizieren – kein Telefon und keine elektronischen Medien! Deshalb spielten Briefe eine zentrale Rolle nicht nur für die privaten Beziehungen, sondern auch in künstlerischen, intellektuellen und politischen Zusammenhängen. Denn es gab im 19. Jahrhundert in den meisten europäischen Staaten noch eine Vorzensur für alle Veröffentlichungen, die Möglichkeiten einer öffentlichen politischen Debatte erheblich beschränkte. Zwar unterlagen Briefe grundsätzlich der Zensur. Sie war aber praktisch nur in Ausnahmefällen (etwa bei besonders profilierten „Staatsfeinden") durchführbar.

Neben der politisch-kulturellen Bedeutung, die Briefe und Briefnetzwerke unter den beschriebenen Rahmenbedingungen des 19. Jahrhunderts hatten, waren sie – wie in allen Zeiten – ein Kommunikationsmittel, das Intimität und Nähe herstellt. Und sie dienten – vor allem in den Hochzeiten der Briefkultur, im 18. und 19. Jahrhundert – der (bürgerlichen) Selbstdarstellung und Selbstdeutung. „Briefe gehören unter die wichtigsten Denkmäler, die der einzelne Mensch hinterlassen hat", schrieb Goethe – einer der intensivsten Briefschreiber des 18./19. Jahrhunderts, und er meinte auch, Briefe seien so viel wert, „weil sie das Unmittelbare des Daseins aufbewahren". Der Dichter Friedrich Hebbel nannte sie „Schattenrisse der Seele".[94] Fanny Lewald schrieb: „Wenn in einem Brief mir irgend Etwas nicht recht scheint, zerreiße ich ihn lieber."[95] Dieser Anschein von Authentizität ist ein wichtiger Grund, warum im Rahmen neuer historischer Fragestellungen, die die Akteure und ihre Erfahrungen in den Mittelpunkt ihrer Untersuchungen stellen, Briefen wieder große Beachtung geschenkt wird. Dies gilt etwa für die kulturgeschichtlich erweiterte Sozial- oder Politikgeschichte, Alltagsgeschichte, Geschlechtergeschichte und erst recht für neuere Strömungen wie die Erfahrungs- und Gefühlsgeschichte.

Zu warnen ist aber vor einer naiv-emphatischen Herangehensweise an derartige Ego-Dokumente. Fast alle Briefschreibenden – Briefe zählen zu den historischen Phänomenen, in denen *nicht* die Männer dominiert haben – haben die Nachwelt mitbedacht. Briefe geben also Sachverhalte, Ansichten und Gefühle nicht unbedingt „authentisch" wider, sondern meist in einer bewusst gewählten Form und Rhetorik, die in der Regel als Inszenierung verstanden werden müssen. Diese Inszenierung, richtete sich zunächst an den Empfänger des Briefes, aber auch an weitere konkret bekannt oder imaginierte Leser und meist an die Nachwelt. Das

---

[94] Zitiert nach *Nickisch*: Brief, S. 15.

[95] *Göhler*: Carl Alexander und Fanny Lewald, Bd. 2, S. 17. Vgl. *Baasner*: Briefkultur, S. 3.

zeigt sich ganz deutlich, wenn wegen der Lang-
samkeit und Umständlichkeit der brieflichen
Kommunikation Fragen an das Gegenüber gleich
mitbeantwortet werden oder wenn Briefe als imaginierte Dialoge verfasst sind, gilt aber weit darüber hinaus für fast alle brieflichen Äußerungen.
Etwas überspitzt lässt sich für die briefliche Kommunikation sagen: Die Inszenierung ist das Au-
thentische! Was die politische Briefkommunikation betrifft, so ist anzunehmen, dass die Informa-
tionsvermittlung eine größere Rolle spielt. Aber
wie so Vieles rund um Briefe, ist diese Frage
bisher nicht systematisch untersucht worden.

Im 19. Jahrhundert gingen die politisch, intel-
lektuell, wissenschaftlich und künstlerisch innova-
tiven Diskurse und Projekte im zentraleuropäi-
schen Raum von einer erstaunlich kleinen Gruppe
von Personen aus, die vielfältig miteinander ver-
netzt waren. Diese Verbindungen und die gemeinsam diskutierten Ideen und Vorhaben lassen sich
am besten aus ihren überlieferten Briefen rekonstruieren. Neben den Salons, in denen sich jene
politischen, intellektuellen, wissenschaftlichen und
künstlerischen Gruppen und Freundeskreise trafen,
bilden ihre Briefnetze gewissermaßen virtuelle
Salons. Schon im 18. Jahrhundert war davon die
Rede, ein Brief sei eine „Unterhaltung" oder sogar
ein „schriftlicher Besuch".[96]

Könnte man alle überlieferten Briefe des
19. Jahrhunderts zusammentragen und die brief-

---

[96] *Steinhausen* (s. Fn. 15), Bd. 2, S. 258.

lichen Beziehungen zwischen den Schreibern und Empfängern sowie weiterer (Mit)Lesern graphisch darstellen, so entstünde eine Karte der intellektuellen, politischen, persönlichen und künstlerischen Beziehungen, die den intellektuellen Kosmos beschreiben, in dem ein Großteil der Innovationen entstanden ist, die wir heute am 19. Jahrhundert interessant finden. Hierzu gehören politische Ideen ebenso wie die Entwicklung der Geschlechterrollen, neue wissenschaftliche Erkenntnisse, künstlerische Projekte ebenso wie die Konstituierung des modernen bürgerlichen Selbstbewusstseins.

Am Anfang des in den Blick genommenen Zeitraums, der als eine Hochzeit der Briefkultur gelten kann, stehen Revolution, Romantik und Restauration, in seiner Mitte die vielschichtigen Auf- und Umbrüche des Vormärz und der europäischen Revolutionen von 1848/49, am Ende industrielle Revolution und Nationalstaatsbildung. Aus den überlieferten Briefen lassen sich unter anderem die Sprache, sprachlichen Bilder, Assoziationen, Codes rekonstruieren, in denen politische, kulturelle und wissenschaftliche Kontroversen ausgetragen wurden, in denen aber auch über das eigene Leben, Liebe, Freundschaft, Familie, über Gefühle und Grenzerfahrungen kommuniziert wurde.

Zum Autor

Christian Jansen studierte Geschichte und Mathematik in Heidelberg. Auf dieser Basis beschäftigte er sich viel mit quantitativen Verfahren und computergestützer Forschung, zuletzt bei der Rekonstruktion großer Briefnetzwerke des 19. Jahrhunderts. Nach vielen Jahren auf befristeten Professuren in Konstanz, Bochum, Jerusalem, Berlin und Münster ist er seit 2013 Inhaber eines Lehrstuhls für Neuere Geschichte an der Universität Trier.

Arbeitsgebiete: deutsche und italienische Geschichte des 19. und 20. Jahrhunderts, insbesondere Nationalismus und Liberalismus; Sozial- und Mentalitätsgeschichte; Universitäts- und Wissenschaftsgeschichte.

Näheres und Publikationsliste unter https://www.uni-trier.de/index.php?id=5196.

Lectiones Inaugurales

Alle Titel sind auch als E-Books erhältlich.   **www.duncker-humblot.de**